« RÉPONSES »

Collection dirigée par Joëlle de Gravelaine

DENIS PELLETIER

L'ARC-EN-SOI

*Essai sur les sentiments de privation
et de plénitude*

ROBERT LAFFONT / STANKÉ

Données de catalogage avant publication (Canada)

Pelletier, Denis, 1943-

L'arc-en-soi : essais sur les sentiments de privation
et de plénitude

(Réponses)
Comprend des références bibliographiques
ISBN 2-221-00636-4

1. Privation (Psychologie). 2. Réalisation de
soi (Psychologie). I. Titre. II. Collection :
Collection Réponses (R. Laffont).

BF575.D35.P44 1981 155.2 C81-003374-7

INTRODUCTION

Moment heureux et apaisant que celui de l'arc-en-soi, où le passé, lourd de ses privations et de ses peines, débouche sur un ciel ouvert! La tristesse prend la couleur de l'espoir et l'individu découvre soudain que son manque, pourtant vivement ressenti, n'était qu'une difficulté de perspective [1].

Cet essai vise à comprendre les multiples formes que prend le sentiment de privation. Ce sentiment d'un manque entraîne des efforts à le combler qui ne font qu'accentuer la frustration et qui empêchent de passer à autre chose. L'individu s'enferme dès lors dans une philosophie de vie désespérante.

L'arc-en-ciel qui se produit en lui correspond à un

---

1. « Le phénomène de l'arc-en-ciel est produit par les rayons solaires provenant de derrière l'observateur, et traversant les gouttelettes d'humidité. Ces gouttes jouent le rôle d'un prisme... Plus les gouttes sont grosses, plus les couleurs sont vives, spécialement après une pluie orageuse d'été. » Arthur Beiser, *la Terre*, Editions Time-Life.

moment privilégié de son évolution où il réalise d'une manière pour ainsi dire viscérale qu'il est sous l'effet déformant d'une privation largement mythique.

La formation du mot arc-en-soi s'inspire surtout du fait que l'arc-en-ciel est, selon la tradition, un symbole de paix et de prospérité. L'arc-en-soi désigne précisément le phénomène de la réconciliation avec soi et avec son passé, en même temps que surgit la prise de conscience ou encore la conviction qu'il n'est pas vide et qu'il est promis à une surabondance intérieure.

Cet essai vise donc à comprendre aussi et surtout les multiples formes que prend l'expérience de la plénitude.

Chapitre premier

LE SENTIMENT DE PRIVATION

Le ressentiment

La tentation est forte d'accuser ses parents d'avoir manqué de compréhension et surtout de ne pas avoir vraiment donné l'affection nécessaire. Que la vie serait plus facile aujourd'hui si l'éducation d'autrefois avait été bien faite ! Ce regret s'exprime dans la réalité d'adulte par une sorte de ressentiment. Que d'injustices et d'humiliations, que d'événements douloureux à la mesure de l'enfance, enfouis dans un grand trou de mémoire ! Il en reste le vague sentiment de ne pas avoir eu l'amour auquel on avait droit. Car c'est là la logique interne du ressentiment : quelque chose qui manque et auquel on a droit. Les parents, dans notre contexte culturel, doivent, par définition, donner le meilleur d'eux-mêmes et c'est la conviction d'y avoir droit qui engendre le sentiment d'en être privé. Alors sous l'effet de la privation, la personne s'engage dans des conduites susceptibles de la combler.

Un des scénarios possibles consiste à faire aux autres ce qu'elle veut que les autres lui fassent. Elle va donc rendre service, écouter avec beaucoup d'égards, manifester de la bienveillance, apporter son aide, encourager, protéger. Elle va se montrer complaisante et répondre jusqu'à l'épuisement aux attentes d'autrui.

Si jamais les autres réagissent positivement au scénario du dévouement, elle les soupçonne d'agir par devoir. Tel pourrait être le cas. Il est bien évident que cette sorte de considération n'a pas de valeur. Cela provoque l'impression d'avoir été floué dans ce contrat de dupe, d'où indignation et ressentiment.

Il se pourrait aussi que les gens soient sincères et qu'ils la trouvent attachante mais alors c'est elle qui ne peut être touchée par cette affection. Même en parvenant à être rationnellement convaincue de la bonne foi de son entourage, elle n'en éprouve pas moins la même privation. Comment, en réalité, être touchée par ceux qui l'aiment, si elle fait tant d'efforts pour être aimée ? Tout l'effort à l'être la persuade qu'elle ne l'est pas. Le seul fait de l'effort lui fait ressentir toute marque d'attention comme quelque chose qui lui est dû. L'effort en pareille affaire l'empêche de percevoir l'autre comme un être libre et gratuit. Ce qu'elle désire ardemment, c'est d'être aimée sans la volonté de l'être. Cela supposerait de laisser tomber la position vindicative de la personne qui est privée de quelque chose auquel elle a droit.

Un autre scénario fort répandu consiste à mériter

le bonheur avec les malheurs qu'on a. Quand, bien sûr, on aura eu sa part d'épreuves, on sera en paix, on aura bonne conscience de jouir du temps qu'il reste. La personne accumule par conséquent les déveines avec un soin méticuleux et collectionne les aspects du réel qui ont des airs de malchance. En plus de se ménager une retraite heureuse, elle profite dans l'immédiat de certains bénéfices marginaux comme celui, entre autres, de la sollicitude qui est dévolue par ses proches à la révélation de ses malaises, de ses maladies et de ses déboires. Elle peut même emprunter du voisinage quelques confidences du même genre, susceptibles d'alimenter son interprétation catastrophique du monde. Elle ne manquera pas non plus d'exploiter aux mêmes fins les informations de l'actualité économique, politique et sociale.

Si elle paraît sans cesse irritée et scandalisée, c'est que la réalité ne se comporte pas comme cela avait été prévu dans le scénario de la malchance. Il était convenu qu'après avoir souffert, elle connaîtrait des jours meilleurs. Mais voilà, les jours meilleurs tardent à venir, à tel point que la moindre contrariété devient intolérable. Sa position de victime exige, en stricte justice, que le réel soit dorénavant en tout point conforme à ce qu'elle veut et elle entend prendre note de toutes les fois où cette promesse n'est pas tenue. Les griefs s'additionnent dans un ressentiment qui risque de s'installer pour de bon. Cette impasse relève en quelque sorte de la caricature mais n'en demeure pas moins dramatique pour celui ou celle qui se débat dans la fausse permanence du malheur.

Un autre scénario populaire consiste à croire que

13

le bonheur se mérite par la performance. Il s'agit de donner toujours le maximum de rendement dans quoi que l'on fasse et d'arriver pour ainsi dire à forcer l'admiration des autres. Le scénario de la performance exprime le besoin intense d'être apprécié et la conviction intime, en même temps, qu'on ne le sera pas. L'individu mobilise en pareil cas une quantité incroyable d'énergie car il ne peut espérer la reconnaissance qu'en donnant une preuve irréfutable de sa valeur : rien de moins pour lui que l'excellence. Un standard si élevé de rendement ne laisse aucune place au repos et à l'activité ludique. Ce qu'il fait doit servir à la démonstration de sa compétence. Même la vie amoureuse devient une tâche à réussir.

Les encouragements âprement gagnés ne font que soutenir une ambition sourde qui n'a aucun objet réel. Chaque réussite n'est que symbolique et jamais savourée pour elle-même. Elle ne fait pas de bien. Elle lui laisse tout juste un répit pendant lequel il excite son appétit d'arriver quelque part.

Le drame dans cette affaire de preuve, c'est que les autres constituent sa mesure. Ils sont à la fois ses juges et ses rivaux. Chacun d'eux devient une menace à sa propre démonstration. Le scénario de la performance veut donc qu'il entre en compétition avec son entourage et qu'il arrive bon premier. La société devient un tribunal, ses rapports avec autrui, une forme de procès et la vie, une sorte de combat à finir.

Ceux qui ont vu le film « On achève bien les chevaux » comprendront sans peine la vanité de cette course folle. La récompense promise se révèle un leurre et le scénario de la performance une supercherie monumentale, une impasse épuisante. Celui qui s'engage dans la performance ne vaut que par les exploits qu'il accomplit, de sorte qu'il ne vaut jamais en lui-même pour ce qu'il est en tant que tel, mais toujours en fonction de son utilité sociale ou d'un fait remarquable. Il n'arrive pas à s'attribuer une valeur qui dure. Il est obligé de maintenir des standards intenables pour avoir droit à ce que bien des gens autour de lui obtiennent sans le vouloir.

Celui qui s'engage dans la performance exige d'être apprécié par ceux que, précisément, il tend à déprécier pour maintenir son hypothétique valeur. Ses relations interpersonnelles sont vécues dans des rapports de force et de pouvoir plutôt que dans un climat d'intimité et de partage, si nécessaire pourtant à son apaisement.

Les scénarios du dévouement, de la malchance et de la performance révèlent le ressentiment dans ses formes évidentes et grossières. Il s'introduit aussi dans notre réalité d'adulte d'une façon subtile et déterminante, en influençant notre conception du temps et notre manière de le vivre.

Le ressentiment a ceci de spécial qu'il est toujours décalé d'un cran par rapport à une situation particulière. Un événement se produit, une réaction émotive ou un comportement donné devrait le suivre immédiatement mais, pour toutes sortes de raisons, ils sont différés. Alors cela entretient l'envie, après coup, de donner suite à l'événement qui est pourtant matériellement fini. D'autres semblables pourront se produire mais celui-là en particulier est irréversible. Ce qui est arrivé est arrivé et, cependant, persiste l'envie irrépressible de le revivre.

Cela explique en bonne partie la tendance à se retrouver trop souvent dans les mêmes impasses, dans le même type de difficultés, avec le même genre de personnes et de relations. Le ressentiment, par sa volonté de reprise, enferme le comportement humain dans la répétition. Cette répétition se révèle stérile puisque l'événement déclencheur est irrécupérable comme tel ; au mieux, il est revécu de façon analogique et le contentement qu'on en tire a valeur de symbole ; il autorise l'individu à passer à autre chose, à laisser tomber la rancune et à se désintéresser de sa privation. Mais qui n'entretient pas l'espoir secret de retrouver dans sa mémoire offensée quelque événement ou situation qui, revécu, pourrait libérer les tensions ? On se met donc à la recherche du traumatisme avec le projet de reprendre l'expérience et, quand on aura achevé la besogne, on pourra enfin prendre la vie comme elle est et profiter pleinement du présent.

La dramatisation de l'événement donne au passé une importance surfaite. Elle fait croire qu'il détermine le présent et même qu'il explique la personnalité de l'individu. La conception déterministe du passé n'est peut-être pas aussi rationnelle et objective qu'on le suppose. Elle constitue une rationalisation rancunière qui exprime le ressentiment sous une autre forme. En termes irrationnels, le déterminisme signifie qu'on se refuse à jouir des plaisirs qui sont ici et maintenant, à s'avouer satisfait et à se considérer libre tant et aussi longtemps qu'on n'aura pas récupéré ce à quoi on avait droit.

Ce qui détermine l'individu, en l'occurrence, ce

n'est pas le passé mais le ressentiment qui fait se répéter les scénarios et les impasses.

La valeur déterminante qu'il accorde au passé entraîne la conviction profonde qu'il est trop tard, qu'il n'a pas ce qu'il faut et qu'il n'aura jamais ce qu'il faut pour vivre vraiment.

L'épreuve d'une carence, d'une injustice, d'un échec, a bel et bien eu lieu mais ce déficit existe-t-il vraiment encore ? Il y a eu privation mais combien, depuis, elle a donné cours à toutes sortes d'appropriations et de compensations ! Les soins et l'affection, si nécessaires dans l'état de totale dépendance où se trouve l'enfant, sont-ils indispensables encore dans la relative autonomie que connaît l'adulte ?

Le sentiment de privation, on ne peut le nier, est réel et vécu comme tel mais la privation n'est-elle pas elle-même une croyance fondée sur le droit mythique à l'amour et au bonheur ?

La quête d'absolu

D'un être cher disparu, d'un objet d'amour en apparence oublié, il ne reste parfois qu'une attente diffuse, que l'absence de quelque chose qu'on cherche en sachant seulement qu'on cherche sans se souvenir de quoi au juste on est privé. Une recherche sans objet, un mouvement vers nulle part, c'est ce que signifie la quête d'absolu.

Le propre de l'idéaliste est de porter la tête haute,

précisément parce que son exploration ne peut s'arrêter sur ce qui est ici et maintenant. Cette forme de quête indéfinie fait de lui un être flottant et déraciné. Il est adapté au réel à peu près comme un automobiliste qui se surprend en plein trafic à ne plus se souvenir de sa destination.

La quête d'absolu ajoute de la fébrilité à l'action et de l'intensité au sentiment. Elle oblige à la démesure et à l'excès. Pour mieux comprendre cette quête d'absolu, imaginons dans le style romantique qui convient, une sorte de petite nouvelle qui se résumerait ainsi :

« Un homme croise une femme. Leurs regards se sont rencontrés, vraiment rencontrés. Il y a, paraît-il, des révisions de vie qui se font en quelques secondes. C'est à peu près ce qui s'est passé, là, en plein regard, l'espace d'un instant. La plongée fut subite et fulgurante. Tous deux, malgré eux, se sont abandonnés et perdus dans l'abîme intérieur de l'un et de l'autre.

« Pourtant, l'homme et la femme ont continué leur chemin, car rien ne pouvait justifier qu'ils s'arrêtent et engagent des liens, non rien. Cela aurait été trop fou. Il ne peut cependant poursuivre. Peut-être venait-il de manquer son destin. Il était envahi par une sorte de vérité qui n'avait pas encore son langage. Elle était contenue au-dedans de lui comme une image qu'il lui restait à projeter dans sa conscience claire.

« Il repéra donc un restaurant et commanda son café. Il posa les lèvres au bord de la tasse avec la dévotion de celui qui s'enivre. L'hallucination de

18

ce qu'aurait été sa vie s'il avait obéi à ce regard commença. »

Nous pourrions ainsi poursuivre la nouvelle en mentionnant que la femme ne fut envahie par aucune sensation particulièrement intense, sauf qu'en pleine nuit, elle se réveilla d'un rêve bouleversant et comprit qu'elle devait revoir cet homme. La nouvelle ferait en sorte que les deux personnages annoncent une harmonie prometteuse et que tout concourt à ce qu'ils se retrouvent, que tout appelle leur union, que le récit les rapproche, jusqu'à vivre dans le même voisinage : un véritable suspense amoureux qui provoquerait chez le lecteur l'impatience de leur rencontre.

La rencontre n'aura jamais lieu et c'est en cela qu'il y a une quête d'absolu. Elle est essentiellement une survalorisation de ce qui n'est pas. Le personnage dont il est question se place constamment en position d'attente. Il ne marche pas dans la foule, comme le fait une personne affairée. Il la traverse en s'exposant aux caprices du hasard. Sans trop savoir pourquoi, il éprouve l'envie de sortir, d'aller ailleurs. Il porte en lui une sorte d'insatisfaction indéfinissable qui l'invite à chercher. Mais à chercher quoi ? L'âme à la fenêtre, il interroge son ennui et se prend à rêver aux possibilités de son existence.

C'est pourquoi son regard fut si prompt. Il cherchait et continue à chercher la femme de sa vie mais aucune ne pourra répondre à ses exigences. Chacune a le défaut de ne pas être cette autre, puis cette autre et puis cette autre... Chaque fois qu'il choisit ou qu'il préfère, il porte le deuil de ce qu'il a dû abandonner.

19

Son existence, pourtant pleine de rencontres, est vécue comme une suite interminable de séparations.

Alors que le ressentiment dramatise le passé, la quête d'absolu dramatise le possible et par conséquent ce qui est à venir, l'avenir. Le scénario qui illustre cette survalorisation du possible pourrait s'appeler l'ailleurs meilleur. Imaginons une assemblée où l'on discute librement par petits groupes. L'acteur de ce scénario n'arrive pas à garder l'attention sur ce que dit quelqu'un. La conversation n'est pas aussitôt engagée qu'il tente de la désamorcer pour rejoindre un autre groupe qui lui paraît plus animé. Rendu là, il ressent une forme quelconque d'ennui qui le convainc que rien d'intéressant ne va se passer. Il aura ainsi, au bout d'un certain temps, multiplié et totalisé des préalables qui ne valent pas un seul vrai contact.

L'ailleurs meilleur est un état intérieur plutôt qu'un ensemble de comportements. Il contient un sentiment d'attente, certes, mais plus encore une impression d'urgence : il faut faire vite.

Cette urgence se traduit par une impatience à finir l'action, à obtenir le résultat, à réaliser le projet. La personne se sent possédée par son désir et elle n'aura de repos qu'au terme de l'entreprise. Elle arrive difficilement à s'accorder une pause et se laisse envahir à son insu par une tension qui la rend irritable. Elle ne comprend pas son impatience puisque rien, objectivement, ne justifie une pareille précipitation, une pareille fuite en avant qui rend, par exemple, la lecture d'un livre un peu trop bâclée, l'audition d'une musique un peu trop distraite, une explication un peu trop évasive et une compréhen-

sion trop superficielle ; une manière de touche-à-
tout qui laisse échapper l'essentiel.

L'ailleurs meilleur comporte vraiment une difficulté de contact. Ni volupté ni tendresse. Une rage
de faire et une avidité à prendre qui ignorent les
lenteurs de la flânerie. Le pendant de son agir ne fait
pas partie de sa vie. Seul compte l'après. Et l'après
sollicite de nouvelles expériences et commande des
satisfactions qui ne viennent pas.

L'acteur d'un pareil scénario passe son temps à
rejeter ce qu'il choisit, à se détacher de ce qu'il
n'aime pas encore, à détruire ce qu'il vient de créer.
Il valorise par-dessus tout le changement et il en fait
même une philosophie de vie. Il croit que l'amour
est dans l'objet d'amour plutôt que dans sa capacité
d'aimer, que le plaisir est dans l'objet qui plaît
plutôt que dans sa capacité d'en jouir. Il passe donc
d'un objet à l'autre avec la conviction de plus en
plus ancrée que la vie est absurde et sans finalité,
sans achèvement, sans un lieu de repos où l'on atteigne le fond des choses, et où l'on devienne satisfait
de soi. Que manque-t-il donc à la réalité pour qu'elle
soit si peu recevable ? A quel paradis perdu est-elle
sans cesse comparée pour être ainsi mise à distance
et rendue absurde ? Quelle est cette grande tristesse
à vivre qui empêche d'éprouver des plaisirs simples
et quotidiens ?

Le sentiment de privation vécu dans l'ailleurs
meilleur correspond à une privation de sens et à une
impression globale d'absurdité. Le réel ne fait pas
l'objet d'un vrai contact, car ce contact, pour donner
sa pleine mesure de sensorialité et de contentement,
aurait besoin d'un attardement et d'un certain
abandon que, seule, la confiance de trouver peut

procurer, ce qui rappelle la boutade de Picasso : « Je ne cherche pas, je trouve. »

La quête d'absolu dont il est question n'a rien à voir avec la transcendance. Elle désigne le caractère excessif de certaines attitudes et de certains besoins. Ainsi en est-il du scénario de la suractivité. Il met en évidence l'aspect inconditionnellement trop enthousiaste et parfois survolté de certaines personnes.

L'acteur suractif apparaît dès l'abord énergique et déterminé. Il déborde de vitalité, s'affaire à de multiples intérêts, démarre des projets, anime son milieu. Ceux qui le connaissent le trouvent stimulant et plein de ressources. Ils s'étonnent de sa grande disponibilité malgré les tâches qu'il entreprend et les responsabilités qu'il assume. On l'estime aussi pour la façon expéditive et rassurante avec laquelle il prend des décisions.

Le personnage de la suractivité attribue son succès à la confiance qu'il a en lui-même. Il n'accepte aucun doute, voilà sa règle de vie. C'est pourquoi il fonctionne selon des objectifs précis. Ce qu'il fait, il le fait sur la base rationnelle des buts qu'il s'est fixés. C'est l'homme ou la femme d'action qui ne perd pas son énergie dans l'indécision. Voilà la description, à première vue d'une personne bien adaptée.

Jamais, pourtant, on ne l'entend avouer une forme quelconque d'impuissance et d'incertitude, comme si douter revenait pour cette personne à exister moins ou plus du tout. Qu'il se présente une difficulté majeure, l'obstacle est alors minimisé et les forces pour le surmonter connaissent à l'inverse un bon taux d'inflation. Cette attitude, par surcroît, s'avère habituellement payante et justifie, en conséquence, une philosophie de vie fondée sur l'illusion de la puissance : l'homme est sans frontières, il n'utilise qu'une partie infime de ses capacités, pensons positif, qui veut peut. Cela pourrait signifier aussi, selon l'expression américaine, se lancer en l'air en tirant sur ses cordons de bottine.

Le suractif a quelque chose de surfait. Il est en un sens trop adapté, trop productif, trop constant. Cette belle adaptation se fait au détriment d'un concept de soi irréaliste qui ignore ses limites et ses angoisses. Il conditionne au beau fixe en réprimant sa fatigue et en manipulant ses tensions dans le sens d'une plus grande productivité. Il entraîne son organisme à lui obéir et à se soumettre à ses visées. Il considère son corps un peu comme une mécanique à mettre au point et se conçoit lui-même comme quelqu'un qui fonctionne. Il est profondément convaincu que l'existence évolue selon une suite d'intentions fixées par la raison et par la volonté.

Si le scénario de l'ailleurs meilleur met en évidence l'absolu du désir qui perd l'individu dans toutes les directions, celui de la suractivité montre l'absolu de la volonté qui enferme l'individu dans les contraintes du rationnel et le prive ainsi d'une grande part de spontanéité et d'improvisation, si nécessaire pourtant à la jouissance d'une vie.

Celui qui vit ce scénario pressent un vide énorme chaque fois qu'il est dans l'inaction et qu'il ne fonctionne pas. C'est pourquoi il s'agite aussitôt et remobilise la vivacité qui le caractérise. Il prend sur lui d'exister, il se vit comme privé d'un support vital qui le ferait exister sans qu'il ait à le concevoir et à le vouloir. C'est pourquoi il ne souffre d'aucune défaillance dans sa volonté et d'aucune incertitude dans ses opinions. Son absolu réprime une peur, la peur que sous la volonté qui s'effondre, il n'y ait aucune impulsion de vivre et sous la croyance qui faiblit, aucune foi en sa propre valeur. Il lui faut des buts à tout prix qui vont le garder vivant. Il vit par autosuggestion.

Ce scénario contient deux grands paradoxes qui n'en font qu'un. Le premier, la valorisation faite à la confiance en soi et à la sûreté dans l'action traduit en fin de compte une incapacité à se faire confiance à un niveau plus fondamental. Le deuxième, que de prendre appui sur ses forces vitales, pulsionnelles, équivaut au niveau du vécu subjectif à prendre le risque de ne plus exister, car c'est bel et bien cette peur qui le fait maintenir en surface une volonté de vivre à toute épreuve et une suractivité qui, à la longue, ne trompe personne, même pas lui-même.

L'ailleurs meilleur et la suractivité traduisent des privations complémentaires. Il s'agit, d'une part, du désir qui n'a pas d'objet et qui donne l'impression d'un milieu extérieur appauvri et ennuyeux et d'autre part, de l'objet sans désir qui donne l'impression d'un milieu intérieur passif et impuissant. La quête d'absolu révèle, dans les deux cas, un manque de sens. Elle révèle dans les deux cas aussi, une incapacité à éprouver du plaisir et à se mettre en contact étroit avec le monde et avec soi.

L'exclusion sociale

Une naissance arrive avec ses particularités. Il y a un lieu pour naître, une mère, un père, une tradition, des ressemblances et des airs de famille. Il ne vient à personne, à moins d'ignorer ses origines, que son père n'est pas son père, que sa mère n'est pas sa mère, que quiconque pourrait être ses parents. Cette impossibilité d'être de n'importe qui et de venir de n'importe où constitue le premier fondement de l'appartenance. Le sentiment d'appartenance procure la sensation d'être chez soi et d'avoir sa place dans l'univers. Il procure la sensation de posséder un territoire où se réfugier. Il donne la conviction de pouvoir compter sur des appuis sûrs.

On ne vient pas au monde en général. On arrive sur une terre bien particulière qui est la mère. La mère est la première terre, le premier territoire. Les expériences de Harlow sur les comportements de petits singes démontrent bien ce phénomène. Voulant étudier de quoi est composé l'amour maternel, il mit ses jeunes cobayes en présence d'un mannequin en fil de fer portant biberon et d'une maman singe en peluche sans fonction nutritive. Chaque fois qu'un élément étranger était introduit dans la situation, les petits singes allaient de préférence s'agripper à la mère-texture. Le dispositif expérimental permet de croire à la grande importance du toucher dans la fonction maternelle. Le corps de la mère est la première terre, le premier appui. Nous pourrions dire aussi la première maison et la retraite la plus sûre. Ce n'est pas par hasard non plus que le mot de père appartient à celui de patrie. Les deux parents prennent soin de l'enfant et, plus encore, lui font sentir son appartenance, appartenance qui constitue la seule vraie certitude au milieu d'un monde inconnu qu'il lui reste à découvrir.

Chaque enfant expérimente plus ou moins inten-

25

sément ce sentiment d'appartenance. Si l'appartenance est éprouvée comme définitive et inconditionnelle, alors elle lui permet une grande sécurité affective. Si, au contraire, elle est vécue comme une protection qui peut lui être retirée, alors l'enfant ne saura plus s'il a le droit d'être là sur ce territoire, dans cette famille. Il aura pour longtemps l'impression de ne pas remplir les conditions d'éligibilité et, surtout, il sera privé de la plus grande certitude qui soit, celle de savoir qu'il est bon pour ses parents que lui existe.

Ce droit d'exister définit pour l'essentiel ce qu'est la sécurité affective d'un individu. Il y aura toujours, en effet, des gens qui ne seront pas d'accord, qui seront en conflit avec lui, qui auront des reproches à lui faire. Il lui arrivera de faire des erreurs. Il ne pourra éviter d'avoir certains défauts. Tout cela pourtant ne sera pas menaçant pour lui. Il ne sera pas obligé de mettre toute sa vie à être irréprochable. Peu importe, il détient au fond de lui cette conviction : il est bon qu'il existe. Il est facile de supposer à l'inverse ce qui se produit chez une personne sensible pour qui chaque remarque met en cause à un niveau intime son droit d'exister.

L'impression de ne pas avoir sa place et de ne pas appartenir se retrouve principalement dans trois scénarios, celui de la conformité, celui de la suffisance et celui de l'illégitimité.

La personne qui n'a pas sa place est toujours sur le territoire d'autrui. C'est ce qui explique son envie constante de s'excuser et sa peur chronique de déranger. Elle essaie de prendre le moins d'espace possible ; sa voix ne porte pas, les épaules sont rentrées, les bras le long du corps, les jambes serrées. Imaginons en contrepartie la personne sûre d'elle : les pieds bien plantés en terre, les jambes écartées pour mieux sentir le territoire, les bras croisés pour délimiter la frontière ou les bras au large pour occuper l'horizon, le ton est affirmatif. L'appartenance donne droit de parole.

La personne conformiste évite par-dessus tout d'entrer en conflit, car elle ne peut compter sur aucun appui et ne trouve pas en elle une voix qui prendrait le parti de l'encourager. Si elle était habitée par les siens, elle n'hésiterait pas, forte de ce réconfort, à exprimer ses demandes et à défendre ses droits. Des droits, elle ne s'en reconnaît aucun et des besoins, elle s'accommode facilement de ceux d'autrui. Elle se conçoit facile à vivre et peu exigeante, intéressée surtout à écouter plutôt qu'à faire connaître ses points de vue. Elle en vient à croire qu'elle n'a ni besoins importants ni opinions qui méritent d'être considérées.

Cette surconscience des autres, dans le but d'éviter les conflits, entraîne à la longue une sous-conscience de soi où l'individu disparaît littéralement jusqu'à ne plus savoir s'il agit selon son intérêt ou selon l'exigence de son entourage. La distinction n'est plus nette entre lui et son milieu. A ne pas vouloir être séparé des autres, il en arrive à se confondre avec eux. La logique interne de la conformité conduit à se laisser envahir à un point tel que l'individu perd son intimité à lui-même. Devenu ainsi étranger en sa propre personne, il connaît l'expérience pénible de l'angoisse, de ce désir d'être qui cherche un lieu où exister.

Le conformiste ne s'appartient pas et se laisse

facilement impressionner par les événements de l'actualité, par les malheurs des autres, par la souffrance et la violence de l'environnement. Il est mal dans sa peau pour des douleurs qui ne sont pas les siennes et prend en charge symboliquement les problèmes dont il n'a pas la responsabilité. Il se sent privé du droit d'être lui-même, de l'autorisation de s'affirmer et, surtout, de dire NON. Il se ressent dans son corps à la manière d'un prisonnier d'Edgar Poe qui voit les murs se resserrer sur lui. L'intérieur devient compact, lourd, jusqu'à l'engorgement, l'étouffement ; sensation de manquer d'air, de digérer mal, une nausée des autres, de ces corps étrangers qui l'envahissent, de ces gens qui l'exploitent, de ces manières qui ne sont pas à lui. Si seulement il pouvait trouver un fond de sécurité qui lui ferait reconquérir son espace intérieur, alors quelle liberté cela serait !

La tentation est forte aussi de jouer à l'insulaire ou au châtelain. Le scénario de l'autonomie procède de la même difficulté d'appartenir.

L'appartenance se fait par la naissance et aussi par l'imitation. L'enfant reproduit les comportements et les attitudes de ses parents. Il arrive parfois que cette identification ne puisse évoluer normalement dans le cas, entre autres, d'une séparation, d'un décès, d'une maladie grave. Pour différentes raisons, l'enfant doit s'arranger seul et pourvoir à sa propre éducation en s'imitant lui-même ; personne réellement à qui s'abandonner, à qui se confier et à qui demander conseil.

La nécessité de s'arranger seul transforme le besoin des autres en suffisance créatrice. Il faut penser beaucoup, se parler beaucoup. L'incertitude et la solitude rendent interrogateur, curieux de connaître, vigilant à tout comprendre. Se faire soi-même demande de la réflexion et de la maîtrise. Il faut donc se travailler avec l'hésitation de l'autodidacte.

Cette nécessité de penser sa vie, plutôt que de vivre simplement à partir d'une certaine tradition, dure des années, voire une vie. Elle installe en permanence le souci de tout nommer et de tout faire. C'est une créativité de survie, celle de Robinson Crusoé. Il est fort mais seul, fort parce que seul, obligé plus que d'autres d'acquérir un grand répertoire d'adaptation.

Une certaine culture contemporaine valorise beaucoup l'autonomie de manière sans doute à contrecarrer la tendance uniformisante de la société industrielle, mais isole du même coup l'artiste et le penseur dans un halo admiratif qui rend sa situation plus difficile à vivre encore. La personne créative ne l'est pas par courage ou par une vertu quelconque, mais par nécessité, par l'impossibilité d'imiter un père ou une mère, par la marginalité à laquelle condamnent certains préjugés.

La personne autonome se sent forte mais seule et, lorsqu'elle reçoit l'invitation de collaborer, elle devient embarrassée. Elle craint l'envahissement et refuse d'être aidée et surtout de se faire donner des directives. Pourtant, elle n'est pas avare d'enseignement. Elle a tant vécu et tant réfléchi ! Le scénario de l'autonomie devient celui de la profondeur. Elle communique implicitement qu'elle n'attend rien de quiconque, qu'elle ne peut rien apprendre des autres, qu'elle a une vie bien remplie.

La personne autonome refuse d'être instruite et

prise provisoirement en charge, parce que l'aide qui lui est offerte la met en contact avec son besoin de parents, besoin qu'elle a dû réprimer pour mûrir vite. Le fruit contient une amande rêveuse et la voix un peu étranglée de cet adulte fort, admiré, compétent et responsable retient mal la plainte de l'enfant laissé seul.

Le scénario de l'autonomie enferme l'individu dans le faux dilemme d'être fort et seul, ou faible et avec les autres ; une espèce de supériorité consacrée parfois dans les faits qui réprime l'envie de s'en remettre à la puissance de quelqu'un d'autre que soi.

Le scénario de l'illégitimité rend compte, pour sa part, du sentiment qu'éprouve la personne gênée. Elle est celle qui, dans un lieu public, se sent vue et observée au point qu'elle en perd sa capacité de concentration et d'orientation. Alors que le scénario de la conformité se définit par l'indistinction individu-milieu, celui de l'illégitimité se caractérise au contraire par le sentiment aigu de leur séparation.

Celui qui ressent cette séparation se perçoit pratiquement comme un immigrant parmi ceux qui sont les siens. Il est en un sens toujours en visite et se comporte comme un étranger. Il n'entre pas dans l'intimité des gens et se laisse peu connaître lui-même. Il y a entre lui et les autres une sorte de vouvoiement intérieur qui interdit la familiarité. Ce manque de naturel équivaut à de l'auto-exclusion. Les autres le déplorent et lui-même en est désolé. Alors que le retrait social de la suffisance est fondé sur une fausse supériorité, celui de la gêne est fondé sur une fausse humilité. L'individu ne se permet pas, en l'occurrence, de montrer sa force et, lorsqu'il intervient dans un débat, il est pris de vertige devant l'attention qu'on lui accorde, il se surprend en flagrant délit de se manifester publiquement. Alors, il se retire rapidement de la discussion et laisse à d'autres le soin de tirer partie de ses opinions. Il est conscient de ne pas se faire justice et de ne pas rendre adéquatement ce qu'il est capable de communiquer. C'est la même fausse humilité qui lui fait refuser les honneurs. C'est elle qui lui interdit d'exercer des fonctions d'autorité.

La personne gênée supporte mal en outre de recevoir devant d'autres des marques d'affection. Lorsque cela se produit, elle en rougit. Son plaisir ne doit pas être rendu public, pas plus que son amusement. Elle sait profiter de la tendresse de ses proches mais dans la stricte intimité.

Il lui arrive d'être saisie par une sorte de torpeur lorsqu'elle participe à une réunion ou qu'elle se trouve dans un lieu d'affluence. Cette crainte diffuse concerne beaucoup plus le groupe que les individus en tant que tels. Elle se vit sous la menace latente et imprévisible d'être mise en demeure de justifier ce qu'elle est. Elle appréhende de façon irrationnelle et à peine consciente d'être accusée. Mais accusée de quoi ? L'objet d'accusation, lui, demeure inconscient. S'il était clairement formulé, il perdrait son pouvoir paralysant. Cette culpabilité prend des visages multiples et s'applique à tellement de situations qu'il est impossible de les dénombrer. Un enfant se croit facilement responsable du malheur d'un parent ou d'un être proche. Il se prépare toute la vie à des punitions qui ne viennent pas. Il est la cause d'accidents qui ont des effets grandis par l'imagination. Il est la victime aussi de préjugés rendus démesurément accusateurs et de rejets ressentis tragiquement par l'absence, à cet âge, d'un sens critique.

Peu importent les raisons, la personne gênée se sent hors-la-loi et illégitime comme si elle avait commis des délits graves. C'est pourquoi elle évite de se manifester publiquement ; c'est pourquoi aussi elle ne se prête pas au jeu de la taquinerie et ne parvient pas à se moquer d'elle-même. Elle a peur du ridicule et l'humour a couleur encore d'accusation. Elle s'installe donc dans l'effacement, en refusant de s'intégrer aux diverses appartenances culturelles, politiques et professionnelles.

Les scénarios de l'illégitimité, de l'autonomie et de la conformité expriment, chacun à leur manière, le manque d'un territoire où trouver appui. Cette difficulté d'appartenance empêche l'individu d'avoir des relations décontractées et gratuites avec son entourage. Il a tendance à privilégier des rapports fonctionnels et conventionnels, ce qui l'isole davantage dans une solitude inquiète où lui sont refusées à la fois la sécurité qu'apporte un milieu familier et la confiance que donne une présence tranquille à soi-même.

L'invalidation personnelle

Alors que l'exclusion sociale pose la question de confiance envers les autres, l'invalidation personnelle interroge la valeur que l'individu accorde à sa propre expérience comme fondement de ses croyances et de ses actions. Il existe chez chacun de nous, à des degrés divers, l'inquiétude de savoir jusqu'à quel point il peut se fier à ce qu'il perçoit et ressent pour porter des jugements et pour agir. Cette inquiétude va au point qu'un individu qui perçoit un bâtonnet court et vert en viendra à le voir autrement si, dans une même expérimentation en laboratoire, d'autres personnes apportent, de connivence avec l'expérimentateur, un témoignage unanime différent. Les recherches de Asch ont démontré que bien peu de personnes peuvent résister à la pression du consensus social. L'important dans cette affaire n'est pas tant le pouvoir de l'environnement que l'inquiétude de l'individu quant à la valeur de sa propre perception.

Le manque de réalisme est l'argument le plus incisif et empoisonnant que l'on puisse servir à quelqu'un, car on ne marque pas seulement son désaccord, on invalide son expérience, on introduit la suspicion dans l'intimité de sa pensée en suggérant qu'il n'est pas en contact avec la réalité. Cette insinuation atteint sans doute l'insécurité la plus profonde que puisse connaître une personne : suis-je apte à percevoir le réel ? Puis-je faire confiance à ma façon de ressentir les choses ?

Ce qui existe apparaît, dans la conscience originaire, différent de ce que les autres disent. Alors sa propre confiance à saisir le réel devient caduque. Cette conscience originaire connaît la tentation de perdre son originalité en se ralliant du mieux possible à la réalité constituée par ce qu'on en dit généralement. Bien peu accordent à leur perception personnelle assez de véracité pour en témoigner librement et ainsi participer à la culture de leur milieu. Ils n'osent se révéler et témoigner de cette réalité non apprise qui est à l'origine de leur propre lucidité.

La réticence vient de la preuve à faire de sa validité. Il y aura toujours quelqu'un pour inquiéter, non pas pour marquer son désaccord — ce qui est souhaitable — mais pour invalider le témoin en tant que tel. Mais comment se fait-il que chacun soit aussi facilement atteint dans sa pensée personnelle et dans sa valeur pour ainsi dire épistémologique ? Comment en arrive-t-il à renoncer si tôt dans son développement à l'expression de sa subjectivité ? Cela tient à un postulat mal formulé qui déclare que tout le monde est à peu près pareil et que les différences sont à mettre au compte de ce qui n'est pas normal ; ce qui revient à dire que chacun entretient des doutes sur sa santé mentale. Est-il normal de penser ainsi et de réagir ainsi ? Chaque fois qu'une personne porte attention à ce qu'elle expérimente d'un phénomène donné, en même temps que s'impose une observation personnelle, surgit la question de la normalité. Il y a pour elle le risque qu'elle ne soit pas saine et, à se révéler, elle court le danger d'être prise en flagrant délit d'invalidité. Cela entraîne la conséquence qu'elle pourra se montrer telle qu'elle est, seulement lorsqu'elle aura acquis la certitude d'être parfaite. Il vaut mieux, en attendant, s'en tenir au jeu des généralités. C'est ici que commence le scénario de l'anonymat. Il consiste à communiquer avec les autres sur la base de la discussion et non du partage. L'argumentation sera d'autant plus valable qu'elle va se révéler impersonnelle et universelle. Il faut considérer ce que l'on vit comme du particulier sans importance qui n'entraîne aucune conviction, même pas pour soi. Chacun doit donc s'en remettre aux règles de la logique en faisant abstraction de son expérience.

Le scénario de l'anonymat devient une manière impersonnelle de vivre ses relations avec les autres. Le sujet en perd même la capacité de dire « je ». Il se retire derrière ses idées et pratique l'art du discours. Pourtant, l'anxiété, qui monte avec le raisonnement contraire qui se manifeste ou avec la controverse qui s'annonce, indique bien qu'il n'est pas aussi impersonnel qu'il le voudrait et qu'il n'est pas juste en train de traiter de l'information. L'acharnement qu'il met à soutenir son point de vue objectif trahit sa subjectivité et alors, cette sensibilité, qui transpire à travers sa dialectique, lui apparaît de plus en plus suspecte, puisqu'elle perturbe sa pensée et sabote ses rapports humains qui se voudraient instructifs. Et, quand par-dessus le marché, une société entière s'inspire de la philosophie cartésienne, cette subjectivité devient dès lors une valeur condamnable. Ainsi, par une sorte de renversement incroyable, l'expérience intime de chacun est niée et soustraite à la culture du milieu, au profit d'une pratique intellectuelle stérilisante qui apparaîtra aux anthropologues des siècles à venir comme le rituel de l'aliénation.

Nous sommes des êtres profonds mais encore faut-il que nous allions au fond des choses et cela passe nécessairement par l'expérience que nous en avons. Cela veut dire que tout ce qui existe peut être redéfini dans nos perspectives propres et que notre façon de contribuer au développement du milieu est de témoigner de ce que les choses ont l'air quand elles passent par notre existence. Pourtant, au lieu que l'individu s'engage activement dans ce processus de découverte et de partage, il suspend l'exercice de sa phénoménologie et se prive d'une formulation claire de ce qu'il vit et de ce qu'il veut.

Le scénario de l'anonymat va de pair avec un défaut d'identité qui consiste à ne pas savoir sur quoi fonder ses conduites, ses valeurs et ses choix. Cette incertitude engendre des conflits intérieurs qui épuisent et qui condamnent l'individu à un état chronique d'indécision. Il commence quelque chose avec l'envie immédiate d'abandonner. Il ne peut se fier à ses impulsions et il ne peut non plus s'en remettre à une norme extérieure, dans le contexte contradictoire et pluraliste de la société actuelle.

C'est parce qu'il a un préjugé défavorable vis-à-vis de lui qu'il n'ose croire en sa propre expérience et qu'il n'ose se prendre au sérieux dans l'affirmation de lui-même. C'est ce préjugé défavorable qui explique aussi le scénario de l'inhibition.

L'inhibition fait en sorte que le présent soit rarement vécu dans son incitation et dans son excitation. Les stimulations sont contrôlées par peur de suivre une nature instinctuelle pour ainsi dire dénaturée. Cette impossibilité de se laisser aller engendre des tensions qui font se méfier encore plus de son monde pulsionnel. Cette inquiétude prend la forme d'une censure et crée l'exigence de tout comprendre avant de réagir. La personne cherche donc constamment des explications à ce qu'elle ressent et s'oblige à comprendre toutes ses motivations « obscures ». Une sorte de surconscience l'accompagne dans ses moindres faits et gestes, de sorte qu'elle n'est jamais entière dans ce qu'elle fait, une partie importante d'elle-même étant affairée à décoder les pulsions qui viennent. Elle vit en différé, jamais en direct. Elle fait du découpage. Elle ne réagit pas en vrac, au diable comme ça viendra, non, surtout pas. Elle ne doit pas se laisser surprendre par une sollicitation soudaine. Il importe donc de garder le contrôle sur les situations qui surgissent.

Cette surconscience oblige l'individu à penser constamment, à prévoir, à répéter des scénarios dans sa tête, à justifier ses actes par d'interminables rationalisations et, surtout, à suspendre ses émotions par des considérations abstraites qui font diversion.

Ce contrôle donne à la longue la sensation physique de ne pas être libre et provoque des contractures corporelles permanentes, des crispations qui rendent raide et insensible et qui font croire que la vie est un état constant de survie, que l'acte même de respirer doit être soumis à l'autorisation de la conscience.

Par contraste, voici le témoignage de quelqu'un qui prend congé pour un moment de ce processus inhibiteur :

« Toute la semaine avait été une immersion, une espèce de vertige, de tourbillon où les choses m'arrivaient, où les répliques fusaient de toutes parts sans que je puisse me retirer. Je n'étais pas dépassé par les événements mais je n'avais pas le temps non plus de trop hésiter.

« J'ai vécu cette semaine-là comme excitante et

libérante parce que je ne cherchais aucune référence à mon passé. Je goûtais tout, j'étais éveillé, attentif, sans trop de crainte ; je me permettais de vivre en oubliant, en risquant une rupture avec ce que je connaissais de moi.

« Je risquais d'être, sans le justifier. Je me vivais libre. Je crois que de voyager, de me trouver en terre étrangère, avec des gens qui ne connaissaient rien de moi, me donnait congé de cette conscience toujours en train de se demander quel sentiment émerge, qu'est-ce que cela veut dire, pourquoi cette réaction, cette émotion, comment ce stress m'est-il arrivé, ai-je raison d'être tendu, quelle est cette impression étrange tout à coup d'être si bien.

« Rien qui soit déterminé à l'avance. Tout arrivait au moment où il le fallait ; le temps présent, un fait à prendre tel quel, plein, vivifiant, total, absolu. »

L'individu surconscient se sent toujours un peu dérangé par les événements. Ils arrivent trop vite et pourraient le pousser à des excès. Chez lui, la modération joue un rôle protecteur ; pas trop d'éclat dans le rire, ni de ferveur dans la voix, ni d'ardeur dans l'étreinte, car cela pourrait mener à des comportements inattendus. La vie émotive lui apparaît comme un dérèglement qu'il faut éviter, ce qui produit au bout du compte une retenue généralisée aux divers aspects de l'existence. Avec la sécurité que procure le juste milieu, s'installe aussi une certaine routine, un ennui flottant qui prend rarement l'allure d'une crise et qui ressemble davantage à un quotidien raisonnable. Les envies se font rares. Pourtant, les folies n'ont jamais fait une folie. Il craint l'inconscient. Ce qu'il refoule, pense-t-il, est nécessairement mauvais. Il se prive ainsi de la sagesse de ses rêves et du repos de la rêverie. Il ignore le merveilleux de l'imaginaire et surtout la puissance qu'apporte le désir.

Il pourra se laisser aller lui aussi et être autrement que quelqu'un de bien rangé qui fait correctement ce qu'il doit faire. Une nouvelle jeunesse lui est promise quand il sera sûr de lui, quand la perfection saura le mettre à l'abri des emportements.

Le scénario du perfectionnisme fonctionne évidemment sur le postulat de l'imperfection, sur l'idée d'une nature dénaturée, d'un inconscient sauvage et ennemi. Le perfectionniste ne s'accorde aucun droit à l'erreur. Il est déjà tellement diminué qu'il ne faut pas ajouter à cela d'autres faiblesses.

L'exigence vis-à-vis de soi peut atteindre un niveau tortionnaire et réduit au sentiment de ne jamais être à la hauteur, à la sensation qu'on n'y arrivera jamais, qu'il est trop tard, qu'on ne sera jamais assez bien préparé. Cette impression de ne pas être prêt donne envie de se retirer de la compagnie des hommes et de vivre une espèce de retraite de perfectionnement. Alors, plus tard, il pourrait revenir parmi les gens, heureux maintenant de les rencontrer, parce qu'enfin il pourrait leur montrer que sa nature profonde est bonne. Il ne suffit pas, en effet, que les autres manifestent leur appréciation. Cela ne saurait apaiser son besoin de perfection car le perfectionniste pourra penser que cette forme d'estime s'applique à des aspects secondaires de sa personnalité. C'est en outre la même logique qui lui fait appréhender l'intimité. Il se sent relativement à l'aise dans ses premiers contacts, mais, qu'une forme de familiarité commence à se manifester et l'anxiété se met à croître dans la même proportion, car le risque devient plus grand que l'autre découvre au fond sa nature imparfaite. En contrepartie, chaque qualité observée chez l'autre accentue son sentiment d'infériorité et le renvoie à la tâche de s'améliorer.

L'impression de ne pas être prêt face aux autres se vit dans l'infériorité, celle de ne pas l'être face aux tâches à faire, elle se vit dans l'impuissance. La personne perfectionniste se sent menacée d'incompétence. Elle n'aura jamais assez de préparation pour assumer ses responsabilités, pas assez d'apprentissage, pas assez d'expérience. Cela lui fait appréhender l'échec et lorsque la réussite survient, elle la met au compte de la chance.

Elle aura tendance à rechercher les fonctions qui sont en deçà de ses possibilités mais trouvera le moyen de les accomplir avec l'insatisfaction de ne pas avoir été parfaite.

Le scénario du perfectionnisme réprime systématiquement tout sentiment de fierté et toute impression de force en soumettant l'individu à un critère de surnature. Il est dans sa nature d'être parfait. Pour des raisons qu'il ignore, il n'est pas à la hauteur. Il reconnaît volontiers sur un plan rationnel qu'il puisse avoir des limites, mais il ne peut faire autrement que d'en être troublé et, pour ainsi dire, coupable. Il est étonné de voir autour de lui des gens imparfaits qui ont la prétention, pourtant, d'avoir confiance en eux et de se reconnaître de la compétence.

L'anonymat, l'inhibition et le perfectionnisme s'avèrent des formes de sabotage et d'invalidation. Ces scénarios résument l'inquiétude de l'individu quant à sa valeur intrinsèque, quant à la santé de ses pulsions et à la sûreté de ses perceptions. Il est divisé dans sa propre demeure. Il se sent privé d'une certitude première, d'une sécurité intérieure qui l'autorise pour ainsi dire à exister, à se projeter hors de lui, à laisser sortir ce qui demande à être, à risquer l'exercice de sa puissance et de sa liberté.

Chapitre 2

UNE CONCEPTION DE VIE A REFAIRE

Le sentiment de privation envahit le quotidien : privation par rapport à un passé injuste qui n'a pas donné son tribut d'affection, privation par rapport à un avenir sans avenir, privation par rapport à un milieu extérieur qui n'offre ni appartenance ni sécurité, privation par rapport à un milieu intérieur fait d'incertitude et de culpabilité. Privé d'un avant nourrissant et d'un après prometteur, d'un dehors rassurant et d'un dedans qui soit fort, chacun de nous, à des degrés divers, éprouve la difficulté de vivre son présent et d'occuper son espace.

Le sentiment de privation accentue avec le temps des impressions de vide, de lourdeur et de fermeture qui constituent pour l'essentiel exactement le contraire d'une vie vivante.

Impression de vide

Le vide intérieur est difficile à décrire précisément parce qu'il n'est rien. Il se reconnaît au fait que rien n'est ressenti. C'est le constat qu'il ne se passe rien. Alors il faut agir. Il faut que quelque chose arrive, il faut rencontrer des circonstances qui vont occuper ce vide car, sans cet extérieur à soi, il se produit une sorte de néant.

L'individu a donc tendance à se concevoir comme un vide à remplir : il fume, boit et mange, non par plaisir mais par une sorte de fatalité. Il s'installe dans la vie en adoptant le point de vue du contenant. Il reçoit des images, des sons, des stimulations. Il entend des opinions, il assimile de l'information. Il voit sur l'écran les rêves des autres, il regarde vivre.

Son manque à être se dissimule aussi dans l'envie insatiable de posséder, d'obtenir des privilèges, d'avoir du prestige et du pouvoir.

Son manque à être se dissimule aussi dans le bavardage et la turbulence. Il se remplit de mots. Il se laisse intoxiquer par les abstractions. Il fait siennes les modes qui passent, qu'elles soient vestimentaires ou religieuses.

Ce sont là des formes de consommation qui trouvent leur origine dans la peur du vide, dans l'appréhension de mort que laissent le silence et l'inaction.

C'est ainsi que, par difficulté à tolérer cette apparence de néant, certaines personnes en viennent à se croire privées de vie intérieure. Elles se conçoivent comme des êtres de surface qui se feront l'écho de leur environnement. Le sentiment global de privation induit la personne à se considérer inapte à vivre de sa propre inspiration, ce qui la convainc de laisser aux autres et aux institutions la conduite de son existence.

L'impression de vide laisse tout l'espace nécessaire à une philosophie de vie dans laquelle l'être humain devient un objet. Il fait partie de la civilisation de l'objet. Les chercheurs en psychologie n'ont pu échapper à la tentation de le décrire comme un être extérieur. Il est la réponse à un stimulus. Le schème de comportement stimulus-réponse contient implicitement le postulat que l'action vient du milieu et que l'individu est un être de réaction.

Chacun en devient tellement convaincu qu'il attend presque constamment une consigne pour agir. Ceux qui ont l'expérience de l'animation de groupes savent quel désarroi entraîne chez les participants l'absence d'une structure et d'une définition claire de ce qu'il faut faire.

Toutes ces consignes et ces conventions prennent leur pouvoir dans la philosophie de l'homme objet, de l'homme sans intériorité qui finit par ignorer ses désirs et ses impulsions.

La division tayloriste du travail a non seulement fragmenté l'ouvrage de l'artisan en une multitude de gestes insignifiants, mais elle a réussi de plus à imposer une définition strictement mécaniste de l'homme. L'être humain devient dans ce contexte un ensemble de comportements qu'il s'agit d'ajuster aux caractéristiques technologiques de la production. Cette situation élimine pratiquement toute idée de vie intérieure.

On ne saurait soupçonner combien les modes

industrielles influencent nos philosophies de vie. Nous avons été successivement depuis quelques décennies homme machine, homme ordinateur, homme cybernétique et maintenant homme de l'astrophysique. L'être humain est devenu de la vibration, de la bioénergie et de la lumière qui irradie. Ce sont là des modèles scientifiques qui alimentent la recherche en psychologie. Que dire alors de l'imagination populaire qui raffole des exploits de l'homme bionique, de l'homme qui a incorporé des circuits électroniques à son système nerveux ? Que dire aussi du phénomène inverse où des robots se mettent à éprouver des sentiments humains ? La grande popularité que connaît le cinéma de l'occultisme et de la possession rend compte également de cet homme objet. Ces conceptions, qu'elles soient expérimentales ou fictives, expriment unanimement que nous sommes vides et que la qualité de notre existence tient à des apports extérieurs.

Nous subissons l'humiliation de tous ces livres qui nous disent comment vivre, comment s'alimenter, comment cesser de fumer, comment se maintenir en forme, comment se faire des amis, comment respirer, comment méditer, comment mener un groupe, comment s'exprimer, comment faire l'amour, comment vaincre l'obésité, comment rester jeune, comment améliorer sa mémoire, comment dialoguer avec ses enfants, comment réussir son divorce, comment ne pas déprimer, comment contrôler ses rêves, comment planifier sa retraite, comment se relaxer, comment programmer son subconscient. Cette liste a quelque chose d'interminable. Elle véhicule le message que ce sont là des comportements qu'il faut apprendre, et qui ne sont pas naturels. Et nous devenons, à notre insu, persuadés que nous sommes vides, que nous n'avons pas ces ressources et que nous devons les acquérir. Nous allons donc apprendre à jouir, à toucher, à sentir, à imaginer, à créer. Nous allons apprendre à aimer, à être tendre, à nous mettre en colère, à écouter les autres, à communiquer.

Serions-nous à ce point aliénés de nos désirs que nous ne saurions plus agir spontanément, à ce point qu'aucun instinct ne puisse nous guider ? La vie aurait-elle son mode d'emploi ?

On cherche à faire avec l'homme ce qu'on fait avec la matière : découvrir des lois pour les reproduire à volonté. L'utopie scientifique voudrait, en ce qui concerne l'individu, comprendre, disons, les « mécanismes » du « processus » de création pour pouvoir inventer sur commande ou encore décomposer l'ascendance qu'exerce une personne en propriétés observables et reproductibles, de sorte que quiconque puisse l'exercer.

Reproduire le phénomène en dehors de son contexte naturel, en dehors des motivations qui l'engendrent et de la philosophie qui le sous-tend, voilà ce que veut le spécialiste du comportement : le plaisir en dehors d'une femme qui inspire, la création en dehors du rêve qui la porte, le leadership en dehors d'une cause qui passionne.

Si nous arrivons à nous concevoir sans l'ombre d'un doute comme des êtres de désir et d'intention, nous ne pourrons tolérer cette panoplie de laboratoire qui désespère finalement ceux qui en font l'usage, car ils ne feront jamais un chef-d'œuvre avec de la peinture au numéro.

Cette conception de l'homme en tant qu'il est un

objet peut même empêcher l'individu de s'éprouver directement et c'est là sans doute la conséquence la plus troublante du vide intérieur. Ronald Laing, l'antipsychiatre anglais, rapporte dans *le Moi divisé* comment un de ses anciens professeurs expliquait la manie qu'avait un patient de se regarder dans un miroir. C'est la seule façon pour lui, disait-il, de savoir qu'il existe.

Certains croient sincèrement que le bonheur consiste à être content de soi. Il n'est pas dans la volupté d'un corps, dans le charme d'une musique ou dans l'excitation de la course, non, il est dans la satisfaction de l'image de soi. Cela veut dire qu'on met parfois son existence à se doter d'attributs personnels et de qualités qui pourront ultimement plaire aux autres et à soi. Cela veut dire que l'individu, quoi qu'il fasse, se préoccupe de ce qu'il a l'air d'être plutôt que de ce qu'il expérimente. Il fait abstraction du plaisir ou du déplaisir qu'implique tel comportement ou telle situation, pour ne considérer que l'adéquation de ce qu'il fait avec l'idéal qu'il a de lui-même et qui correspond presque invariablement à ce qui est souhaité par l'entourage.

Il ne s'éprouve pas directement. Il ne connaît de lui que des images. Il ne sait pas qu'il est triste. Pour le savoir il faudra qu'un autre le lui révèle, et cela ne garantit pas pour autant qu'il parviendra à percevoir son propre sentiment.

Son identité est toute relative. Elle ne surgit pas de l'intérieur comme la certitude absolue et radicale que ce qu'il éprouve, il l'éprouve vraiment, que personne ne pourra nier que ce qu'il ressent, il le ressent comme tel. Cette identité relative fait qu'il n'est jamais sûr de ce qu'il vit, de ce qu'il désire, de ce qu'il craint. Il se devine, il se déduit logiquement, il s'explique, mais il ne s'appartient pas. Il existe à travers les perceptions que les autres ont de lui. Au lieu de connnaître intimement la jouissance d'être, il ne tire de la vie que la satisfaction symbolique d'être quelqu'un d'estimable. Il y a connaissance de soi et connaissance de soi. Le malentendu consiste à se faire une identité en collectionnant des images et des explications plutôt qu'en exprimant des états intérieurs et des convictions.

L'être intérieur, l'homme sujet de son expérience sent qu'il existe absolument, qu'il est une fin en soi, qu'il devient d'autant plus lui-même, d'autant plus réel qu'il éprouve plus intensément et plus totalement ce qu'il vit.

Impression de lourdeur

Le sentiment de privation crée une impression de vide et de lourdeur. Les mots fabriquent parfois de ces paradoxes! Comment peut-on en même temps être vide et être lourd? L'image qui vient est celle d'une forteresse : une enceinte énorme qui protège une place déserte.

Le sentiment de privation prédispose à croire le milieu privatif et hostile. La société, le système, les gens en général et l'entourage en particulier sont là pour contrôler et pour limiter le plaisir de l'individu.

51

Ce sentiment de privation le prédispose également à se croire inapte. Il se voit dans l'impossibilité d'agir et de réagir immédiatement avec ce qu'il est. Il ajoutera donc à tout ce qu'il fait un supplément d'énergie et de tension.

Méfiant par rapport aux autres et inquiet de ses propres capacités, il érige sa forteresse de résistances et d'efforts. Et plus il va résister, plus il va faire la preuve à ses yeux que la vie n'est pas généreuse, qu'elle est accablante, impitoyable, absurde et, au mieux, tout juste supportable. Et plus il va déployer des efforts, plus il va se battre pour avoir ce qu'il veut, plus il va se surpasser pour réussir, plus il fera dans son « fort » intérieur la démonstration que rien n'est facile pour lui, qu'il n'a aucune aisance, et que sa valeur est pour ainsi dire forcée et surfaite.

L'impression de lourdeur sécrète une volonté de redressement et une philosophie du combat dans lesquelles l'homme va exalter le dépassement par l'effort, par le travail, et par le courage. C'est la conception de l'homme de fer qui a des nerfs d'acier. Nous revoilà dans l'impression de lourdeur. La vie prend l'allure d'une montagne énorme qui excite le vieil idéalisme de l'adversité : l'homme se mesure avec l'obstacle, il se pose en s'opposant. La seule façon pour lui de sentir qu'il existe est de résister. Il part conquérir la vie mais il ne sera jamais ravi par elle. Il va passer à travers la vie sans que, pourtant, la vie ne s'exprime à travers lui.

Cette philosophie de l'effort et du dépassement trouve sa récompense dans une sorte d'orgueil de la mission accomplie. Les blessures comptent peu en comparaison de la bonne conscience qu'elles autorisent et du soulagement qu'elles permettent. Les épaules s'affaissent, un grand soupir, le repos du guerrier... ce n'est pourtant qu'un répit. Nous revoilà dans l'impression de lourdeur, car le propre de cette conception est de répéter la difficulté et de mettre au premier plan les aspects accablants de l'existence.

L'individu perd, dans pareil contexte, sa capacité à éprouver du plaisir et se convainc que sa vie consiste au mieux à éviter le déplaisir. Le déplaisir devient le contexte dans lequel il évalue toute situation. Il n'a d'autre but que de se soustraire à ce qui est désagréable. Il met son énergie à survivre et fait des efforts incroyables pour éviter l'échec, l'erreur, le rejet, la solitude. Il en met encore plus à refuser la mort, pour laquelle il éprouve une angoisse persistante.

L'esquive toutefois ne peut faire une vie. Ce contexte de soustraction, à part l'orgueil de passer à travers l'épreuve ou à part le soulagement d'être passé à côté d'elle, n'offre aucune finalité, aucune perspective qui puisse vraiment alléger l'individu de son impression de lourdeur, rien qui soit dans l'ordre de la confiance et de la joie. Tout est vécu dans la situation défensive d'éviter la peine. L'effort d'éviter l'inévitable n'est-il pas finalement plus douloureux, plus épuisant que le déplaisir auquel il prétend se soustraire ? C'est cela sans doute la peur de vivre : une vigilance constante à ne pas se laisser abattre par l'adversité et à ne pas démériter, aucune récompense en vue sinon l'absence provisoire du malheur, sinon le sursis, on ne sait jusqu'à quand, d'une éventuelle punition.

Ou bien il évite la contrariété ou bien il la traverse. Ce sont les deux seules attitudes possibles pour lui, car tout son champ de conscience est envahi par l'expérience du déplaisir. Il ignore que la frustration puisse être subordonnée à un principe positif qui aurait le pouvoir de dédramatiser son existence.

La question à se poser finalement est de savoir si la vie est une expérience à vivre ou un problème à résoudre. Le sentiment de privation suggère inlassablement qu'on n'a pas ce qu'il faut et qu'on doit sans cesse faire de nouveaux apprentissages, sans cesse exercer ceux que l'on a pour ne pas les perdre, sans cesse s'améliorer. Un adulte tente pendant des années de se former un caractère et de mettre un terme à ses conflits intérieurs, avec l'espoir qu'un jour il aura réglé ses difficultés personnelles. Le temps lui apprend qu'il ne peut changer grand-chose et qu'au lieu d'avoir assumé, sinon dénoué ses tiraillements, il se retrouve au contraire au mitan de sa trajectoire avec un tas de situations inachevées. Il ne parviendra pas à se mettre à jour et se ressentira de plus en plus comme un bric-à-brac da contradictions, comme un lieu désordonné d'expériences décousues. La vie devient pour lui une sorte d'appesantissement progressif. Il s'enfonce dans le résidu du passé en se définissant par ses limites, par ses réalisations douteuses, par ses ambitions puériles, par les « si c'était à refaire... ». Il accumule les mauvaises notes.

Ces tourments, ces préoccupations à refaire des situations inachevées, ces silences manqués qui lui auraient révélé le monde avec une certaine quiétude : tout cela, parce qu'il se conçoit insuffisant, parce qu'il doit se parfaire et se travailler comme un objet. Il y a, bien sûr, des problèmes de développement à résoudre mais, à leur consacrer son attention constante, on en vient à croire la vie possible seulement quand on aura tout réparé. Que d'années consacrées à ses défauts plutôt qu'à la libération de ce qui est en lui dans une sorte d'attente : l'émergence des désirs, des fantaisies et des projets d'être, l'évolution inattendue de ses intérêts et de son travail, l'éclosion de ses ressources latentes, le contentement de ce qui est accompli et acquis, la jouissance de se sentir encore passionné et fier !

Impression de fermeture

Le ressentiment, la quête d'absolu, l'exclusion sociale et l'invalidation personnelle s'avèrent des formes autogènes de privation. Ces formes engagent d'abord des comportements qui tendent à l'apaiser, mais chaque tentative en ce sens accentue au contraire l'impression d'un manque. La personne, malgré ses efforts, se retrouve dans la même impasse. Il n'y a pas de fin au ressentiment ni à la recherche d'un absolu. Il n'y a jamais sécurité non plus ni certitude de valoir, à manœuvrer autrui et à se contrôler.

Les scénarios de la privation enferment l'individu dans une espèce de rigidité existentielle. La seule façon pour un rêveur de se sortir d'une situation impossible est de se réveiller. Cela voudrait dire en l'occurrence un changement radical fondé sur l'oubli et le risque, les deux attitudes précisément que le sentiment de privation interdit.

La principale caractéristique de ce qu'il est convenu d'appeler un complexe est d'enfermer le dynamisme d'une personne dans une espèce de tournage en rond. Le tournage en rond suggère l'ennui, l'animal dans sa cage, la perte de l'orientation, le repli sur soi, les dessins tout en cercles concentriques.

L'impression de fermeture laisse croire qu'il n'y a qu'une seule manière de vivre sa vie, que la vie n'est que ce que l'individu en connaît. S'il expérimentait des manières différentes d'éprouver les choses, il pourrait soupçonner les variations illimitées de l'existence humaine. Il n'aurait aucune peine alors à concevoir sa vie comme une expérience à vivre. Il serait excité par la perspective d'explorer des états intérieurs nouveaux, de saisir les polarités qui l'animent et les paradoxes qui l'enrichissent. Il se sentirait d'autant plus libre qu'il disposerait de cette créativité du comportement, de cette imprévisibilité du geste et de la parole qui font de lui un être ouvert.

La privation et la tentative constante de la combler condamnent l'individu à percevoir les personnes et à interpréter les situations en fonction toujours de la même problématique.

Il s'agit d'un processus d'uniformisation où tout événement perd sa particularité en étant interprété dans une vision *a priori* du monde. L'expérience est réduite à n'avoir qu'un sens, alors qu'elle est riche, pourtant, d'une inifinité de significations.

Celui qui se sent privé est persuadé que la situation présente n'est pas nourrissante. Il cherche donc ailleurs ce qui est ici. De là sa conviction que la réalité est pauvre et qu'il n'y a rien à découvrir de plus que ce qu'il connaît déjà. Il en est ainsi de la vie. Elle est un protocole à remplir, une sorte d'itinéraire à parcourir comportant des étapes et des tâches.

L'impression de fermeture incite l'individu à répéter la vie selon un modèle fait à l'avance et décidé par les déterminismes de l'hérédité et du milieu.

Il n'est pas l'homme ou la femme des remises en question. Les jeux sont faits et la vie doit suivre son cours : une sorte de fatalité inconsciente de sa résignation.

Ce rétrécissement évoque l'image du tunnel, pas d'horizon et surtout pas d'improvisation dans le parcours. Une certaine psychologie du développement et une certaine pratique de l'éducation encouragent cette idée d'une vie programmée. Il est facile de reconnaître à la nature humaine des lois évolutives, ne serait-ce que celles de la croissance physique et celles aussi de la maturation de l'intelligence et de l'affectivité. Cela dit, de nombreuses performances mentionnées au compte de l'âge appartiennent aux prescriptions sociales beaucoup plus qu'au dynamisme de l'évolution.

L'invention sociale qu'est l'école nous conditionne dès l'enfance à considérer l'existence comme une suite de responsabilités à prendre et de rôles à jouer. Etude, travail, sexualité, mariage, famille sont autant de secteurs codifiés par des règles et par des idéaux. Beaucoup ne trouvent pas en eux les énergies qui feraient soumettre les événements à leurs exigences et à leur finalité interne.

Faute d'utiliser l'existence pour son accomplissement, on trouve sa raison d'être dans le fait d'être utilisé. La personne devient un personnage en quête d'auteur. Elle consent à remplir du mieux qu'elle peut les fonctions que lui assigne la société laborieuse. C'est alors que sa conception de vie devient essentiellement utilitariste.

L'impression de fermeture se révèle sans doute la conséquence la plus grave du sentiment de privation car elle convainc que l'existence n'est pas jouissance, qu'elle offre tout juste des plaisirs occasionnels et que, par définition, le bonheur ne peut être qu'un accident, qu'un moment exceptionnel. Donc pour l'essentiel, la vie est une besogne dont la visée nous échappe mais qui doit être réalisée avec le plus grand souci de rentabilité et d'efficacité. Cette mentalité prend l'allure d'une catastrophe quand elle détient le pouvoir. Qui dira que la communauté des hommes s'inspire, dans ses structures, dans ses institutions, dans ses politiques, du besoin fondamental d'éprouver l'existence d'une façon agréable ? Nous avons collectivement renoncé à la joie de vivre.

Nous sommes sans mythologie, sans rêverie collective. Nos rapports sont fonctionnels et télépersonnels. Nous fonctionnons sans inspiration véritable.

Certains réclament à grands cris des projets collectifs qui auraient le pouvoir liant des cathédrales. Le sens du travail n'était pourtant pas dans la cathédrale mais dans la célébration qu'elle allait permettre. Notre civilisation n'a aucune perspective de fête. Ceux qui veulent une société nouvelle n'ont trop souvent que plus de besogne à proposer et plus de tâches à faire exécuter.

Nous consommons beaucoup mais nous n'avons rien à célébrer. Peut-on consacrer une vie à gagner des objets ? Est-ce pour cela qu'il faut faire la grève, abattre le capitalisme, dénoncer l'inconscience des nantis, dans l'unique but que chacun ait la même quantité de choses ? Pour qui travaille-t-on ? Comment le travail peut-il s'inscrire dans la perspective de l'homme ?

Nous manquons de vie intérieure et c'est pourquoi chaque fonction est devenue un rôle à remplir. Sans philosophie de vie, chacun fait ce qu'il fait parce qu'il faut le faire et qu'il faut vivre. L'organisation sociale, pour sa part, est essentiellement un fonctionnement qui ne sait pas pourquoi il fonctionne. Qui peut prétendre que la société va quelque part ? C'est le propre de la conception utilitariste de n'avoir aucun but et d'enfermer les individus dans la répétition et l'ennui.

Notre civilisation se trouve dans une impasse totale, à constater les maladies psychosomatiques occasionnées par le stress, à constater la quantité effarante de tranquillisants mis sur le marché et à constater les excès de violence et de folie qui surgissent sauvagement un peu partout. On explique cette impasse par des raisons démographiques, sociologiques, économiques et technologiques. Ces discours savants entretiennent sans cesse l'idée qu'on va trouver les solutions en changeant le milieu, en modifiant la structure économique, en redéfinissant le pouvoir, en décompressant les villes et ainsi de suite.

Cela ne fait qu'affirmer davantage la conviction que l'homme est vide et qu'il est absolument le résultat des conditions extérieures. On explique son mal à l'âme par une insuffisance du revenu.

Nous sommes gravement atteints dans la conception que nous avons de nous-mêmes et de notre existence. L'aliénation est à ce point, que certains préfèrent se reconnaître malades que de s'avouer malheureux. Ils demeurent ainsi des objets pour leur médecin plutôt que des sujets responsables de leur triste vie.

Les idéologies religieuses ont pris en charge la vie intérieure de l'individu, de sorte que ses actions ne pouvaient être inspirées par son expérience intime, mais seulement prescrites et sanctionnées par ceux qui détenaient la révélation. Ce sont maintenant les technocrates et les scientifiques qui détiennent la révélation. Nous en sommes au même point en ce qui concerne l'homme. Nous n'avons fait aucun progrès dans l'ordre de l'intériorité.

Nous sommes des êtres profonds et c'est par l'intérieur que nous pouvons être en relation avec les lois de l'écologie humaine. L'agréable et le désagréable, le ressenti, le subjectif, le sentiment, la certitude et l'incertitude sont des façons différentes de nommer cette conscience originaire des choses qui sait appréhender le réel non pas d'une manière exclusivement logique et rationnelle mais avec la mémoire affective de l'individu et la sagesse biologique de l'espèce.

Ces conceptions que nous avons de nous-mêmes et de notre existence ont une énorme influence sur nos comportements, car elles ne sont pas des philosophies au sens strict du terme. Ces conceptions de soi et de l'existence ne se présentent pas comme des systèmes théoriques et des constructions mentales.

Ce sont, plus justement, des contextes implicites qui donnent un sens immédiat et spécifique à ce qui arrive.

Le passé d'une personne est contenu dans son présent sous la forme d'un contexte dans lequel chaque événement se produit. L'expérience se passe toujours dans un contexte donné qui résume l'histoire individuelle et détermine la signification que prend la situation actuelle. Ce vécu ne se résume pas de manière analytique ni de toute autre manière intellectuelle. Il n'est pas présent à la conscience dans une forme explicite. Il l'est par une évaluation globale, par un sentiment pour ainsi dire d'ensemble, par un climat intérieur de base. Ainsi ce témoignage : « J'ai eu le sentiment très net de ne pas avoir été heureux jusqu'à maintenant. Comme bien des gens, j'ai eu et j'ai encore des plaisirs, des fiertés. J'ai mes petits trophées personnels mais je n'ai pas encore éprouvé une joie profonde... une vie correcte mais sans légèreté intérieure... j'ai trop d'expériences qui font mal et qui ont laissé des traces. J'ai plein de rides dans la mémoire. »

Si tout un vécu antérieur est évalué globalement et non explicitement comme une sorte d'humiliation ou encore comme une impression diffuse d'échec ou de faute, le succès actuel est interprété alors comme un coup chanceux ou comme le résultat d'une certaine condescendance de la part de l'entourage. Cela explique pourquoi le changement personnel requiert du temps et de si nombreuses prises de conscience. On ne peut changer qu'en changeant le contexte, qu'en changeant l'évaluation globale de son existence.

Il n'est pas indifférent que ce contexte soit positif

ou négatif, que cette évaluation soit heureuse ou malheureuse. C'est grâce au contexte du plaisir que le déplaisir est acceptable. Quiconque estime la vie comme foncièrement généreuse accepte plus facilement la difficulté et la souffrance. Quand le contexte en est un de sécurité, il est plus facile de prendre des risques. Quand le contexte est fait de réussite et de compétence, il est plus facile d'admettre l'erreur. Le contexte positif rend l'expérience tolérable même si elle est désagréable. Inversement le contexte négatif exagère la contrariété ou encore diminue considérablement la portée et l'intensité de ce qui est agréable.

Chacun transporte avec lui une évaluation globale de son existence qui le dispose à expérimenter les gens, les choses, les circonstances d'une façon agréable ou désagréable. En ce sens la vie apparaît essentiellement affective, car nous sommes toujours en train de l'éprouver comme plus ou moins bonne. Ce qui veut dire que cette affaire de contexte mérite notre attention d'adulte, car seule une réévaluation consciente peut corriger ce contexte, cette trame de fond que nous avons identifiée comme étant le sentiment de privation.

L'évaluation globale dont il est question ne correspond pas à une approximation nécessairement justifiée de ce qui a été vécu. Elle n'est pas une sorte de moyenne affective du passé et encore moins une totalisation même inconsciente des événements d'une vie. Elle relève d'une comptabilité particulière que les recherches de Joseph Nuttin ont mise en évidence.

Ce chercheur de l'université de Louvain s'est attaché à comprendre les phénomènes de distorsion perceptuelle spécialement en rapport avec l'impression de réussite ou d'échec consécutive à une tâche donnée. La tâche est présentée aux sujets de l'expérimentation comme une épreuve de bon goût et de jugement réaliste à propos d'une vingtaine d'images projetées l'une après l'autre sur un écran. Le sujet est immédiatement informé, après chacune de ses réponses, de son résultat bon ou mauvais. Le dispositif est conçu de sorte que chaque participant de l'expérimentation obtient un nombre égal de réussites et d'échecs, soit dix de chaque catégorie. L'expérimentateur demande ensuite à la personne de donner son impression spontanée sur le nombre relatif de bonnes et de mauvaises réponses qu'elle vient de faire.

On a constaté qu'un même nombre de réussites et d'échecs laisse une impression perceptuelle globale différente d'un individu à l'autre. Certains ont nettement l'impression d'avoir eu beaucoup plus d'échecs tandis que d'autres, beaucoup plus de réussites (quinze contre cinq). On s'est demandé dans un deuxième temps si ces déformations ne pouvaient pas s'expliquer par des traits de personnalité du type optimisme ou pessimisme. Les résultats ont confirmé cette hypothèse et ils ont conduit à interroger l'origine de ces traits. D'où vient l'attitude générale de dépréciation ou la tendance systématique à se percevoir d'un point de vue favorable ? Deux séries d'expériences faites sur la question permettent de conclure qu'une accumulation d'échecs au début d'une série de tâches nouvelles a pour effet de déformer la perception globale du résultat dans le sens de l'échec, tandis qu'une accumulation de réussites au début déforme la perception dans le sens opposé.

« Ce que nous constatons ainsi, écrit Nuttin, dans les conditions très simplifiées de nos expériences, s'accorde étonnamment avec ce que l'on constate souvent dans les situations plus complexes de la vie réelle. C'est l'attitude préétablie qui se maintient et qui " déteint " sur la manière de " voir " les faits, surtout lorsqu'il s'agit de faits affectifs, comme le sont certainement l'échec et le succès. Ce qu'il importe de souligner aussi, c'est que cette déformation des faits ne se produit pas uniquement dans la direction du succès. Le " pessimiste ", en effet, transforme également la proportion objective de ses succès en une prédominance d'échecs. Le même fait a été constaté pour les souvenirs [1]. »

Ainsi, il suffit d'une accumulation d'expériences négatives au début d'une vie pour que le reste de l'existence apparaisse sans valeur. Ce qui fait le traumatisme d'un événement n'est pas tellement sa gravité ou son intensité que le moment où il arrive. Se produit-il dans un contexte déjà institué positivement, alors, bien que pénible à vivre, il est tout de même intégré et ne laisse pas l'individu dans un état de détresse mais qu'il survienne sans que préalablement se soit vraiment installée une confiance en la vie, alors toute la vie elle-même devient une épreuve.

---

1. Joseph Nuttin, dans *Bulletin de Psychologie*, numéro spécial, 1969.

Une des lois fondamentales du développement humain consisterait à ce que des expériences de plaisir et de sécurité structurent d'abord le contexte à partir duquel les autres expériences positives et négatives vont être évaluées et interprétées. Il se pourrait fort bien que le sentiment de privation, si présent dans le vécu de certaines personnes, résulte d'une distorsion systématique dans l'évaluation des faits affectifs. Le ressentiment, la quête d'absolu, l'exclusion sociale, l'invalidation personnelle, avec les scénarios qu'ils entraînent, constituent des contextes qui perpétuent un manque irréel, un manque qui correspond vraisemblablement à une fausse généralisation, à une conviction entretenue par une première suite d'événements difficiles.

Ces considérations nous font mieux comprendre la nature du changement personnel. Il implique de toute évidence une réévaluation du contexte de vie. Cette réévaluation requiert en premier lieu de prendre conscience des scénarios dans lesquels s'enferme l'individu, au point qu'il puisse faire aisément l'hypothèse d'une déformation de sa part dans la perception de lui-même et dans l'appréciation qu'il a globalement de l'existence.

S'il arrive à réaliser l'impasse dans laquelle il se trouve, alors il peut entrevoir de nouvelles possibilités, car il s'agit de modifier le contexte, non pas en révisant ses expériences antérieures — cela pourrait devenir un jeu strictement mental —, mais en prenant le risque d'expérimenter ce qu'il s'est refusé de vivre sous l'effet déformant de la privation.

Sous l'effet déformant de la privation, il s'est considéré comme un être extérieur soumis aux normes de son milieu, comme un être de résistance et d'effort qui supporte le poids de l'existence, comme un être utilisé sans finalité propre. Sous l'effet déformant de la privation, il s'est refusé exactement le contraire du vide, de la lourdeur et de la fermeture, à savoir la plénitude, le mouvement et l'ouverture. C'est ce que signifie justement le développement personnel : un changement qui prend la direction inverse de la privation et qui risque, ne serait-ce qu'un moment, l'hypothèse que rien d'essentiel ne manque et que sont maintenues intactes, à travers cette déformation, la capacité d'aimer et la capacité d'éprouver le plaisir. C'est l'arc-en-soi.

Au fait d'être plein, inspiré et ouvert correspond globalement et respectivement, dans la perspective du développement personnel, l'expérience de la présence à soi et de la sécurité affective (chap. 3), l'expérience de l'expression, de la création (chap. 4), l'expérience du sens poétique et du merveilleux (chap. 5). Tout le développement personnel va se résumer finalement par un dernier chapitre portant sur l'abandon de soi.

Chapitre 3

L'EXPÉRIENCE
D'ÊTRE SA PROPRE MÈRE
ET SON PROPRE PÈRE

Le sentiment de privation provoque une impression de vide. Cela tient à ce qu'est par définition un manque : quelque chose à trouver en dehors de soi. L'individu engage donc des efforts considérables à le combler par des apports extérieurs. Son besoin d'être aimé, son désir de posséder, sa recherche parfois obsédante de sensations fortes et d'expériences nouvelles, son attente d'événements qui sauraient dissiper son ennui, sa quête d'une idéologie politique ou religieuse qui pourrait donner du sens à sa vie, tout cela l'éloigne de lui-même et l'exproprie carrément de son monde intérieur. C'est ainsi qu'il ignore son espace intime. Il est dans une sorte de sous-existence en dépendant des attitudes d'autrui, des normes de la société, des jeux du hasard et de la fortune. Il n'a pas sa vie propre. Il doit faire l'effort de vivre.

Cela fatigue, cela épuise. Il est au milieu de sa vie et il lui semble bien qu'il n'aura pas l'énergie pour tenir jusqu'à la retraite. Il s'étonne d'un tel accablement. Il prend des vacances ou encore change d'emploi ou encore s'inscrit à un programme de conditionnement physique, s'oblige à un régime végétarien, pratique une quelconque technique de relaxation. Il réagit encore et toujours en individu extérieur à lui-même. S'il est vide, c'est bien qu'il n'occupe pas son être. Mais pourquoi évite-t-il à ce point de rentrer « chez » lui ? C'est que précisément ce vide, qui est de ne rien sentir, n'est rien d'autre qu'une grande tristesse à vivre, tristesse bien normale qui est l'effet bien naturel de la privation.

On confond aisément malheur et tristesse. Nous sommes tristes à cause d'expériences désagréables, mais la tristesse, en tant qu'elle est un sentiment, n'est pas un état désagréable. Elle est au contraire une sorte de soulagement des tensions accumulées, un aveu concret, une acceptation ressentie que les efforts et les résistances engagés sont devenus inutiles, que l'énergie mobilisée en soi ne peut pas changer la situation.

La tristesse n'est pas qu'un sentiment, elle est aussi un acte de lucidité et de grande intelligence, car elle révèle l'homme dans sa vraie nature et dissout le mythe de sa toute-puissance et surtout sa prétention à devenir parfait. La tristesse exprime notre finitude et scandalise ceux qui croient à l'immunité de l'argent et de la technologie.

En refusant la tristesse, l'homme refuse ses limites et refuse du même coup de rentrer « chez lui ». Ainsi, par une sorte de renversement paradoxal, le refus de ses limites bloque l'accès à sa vie intérieure, à ses motivations profondes, à ses ressources affectives et à ses forces créatrices.

Cette tristesse paraît intimement liée aux diverses

formes de la privation. Elle est la seule réponse sensée à l'interminable ressentiment. Vouloir refaire le passé, réclamer son dû, se battre pour venger l'échec ou encore exiger l'amour qu'on n'a pas eu, c'est, au nom de la privation ancienne, se priver du présent et du plaisir qu'il offre, c'est se priver des autres dans leur présence et leur générosité. L'individu enfermé dans le ressentiment n'a pas d'autre issue que d'accepter le caractère irréversible des événements : ce qui est arrivé est arrivé, personne au monde ne pourra être spécifiquement la personne qui a manqué, le deuil est un deuil, la séparation une séparation, une erreur une erreur. Cette acceptation réduit le manque à lui-même et le contient dans sa vraie dimension, plutôt que de le laisser envahir la durée d'une vie. Caractère irréversible du temps, disions-nous, caractère inachevé aussi : tristesse que chaque expérience n'ait pas été vécue complètement, que telle relation avec un parent, un camarade, un étranger n'ait pas trouvé sa pleine expression, que tel malentendu ait pu se produire sans qu'il puisse se dissiper, que tel rendement n'ait pas été poussé à sa véritable mesure, que telle occasion de jouissance n'ait pas été saisie dans son entière volupté.

Cette acceptation, quand elle se produit, libère la personne de la répétition et de la volonté de reprise. Et, surtout, cette acceptation la rend disponible à risquer plus de spontanéité, puisqu'il est illusoire de revenir sur ce qui est irréparable et inachevé.

Nous pouvons comparer notre vie à du théâtre d'improvisation. Une de ses règles importantes consiste à ne jamais revenir sur les scènes manquées, ce qui oblige à s'impliquer d'emblée dans le déroulement du jeu. Cela fait penser que certains vivent leur vie comme s'il s'agissait d'une préparation perpétuelle à vivre. L'improvisation ne peut vraiment être réussie qu'à la condition que les partenaires ne présument pas trop vite de la situation, car ils vont probablement s'empêtrer dans les clichés et les scénarios tout faits s'ils ne tolèrent pas l'ambiguïté du départ. Cela suggère que le ressentiment ne connaît ni la tolérance ni l'incertitude, puisqu'il ramène constamment les situations à la même dramatique. L'improvisation perd de son dynamisme aussi quand l'un veut emmener l'autre quelque part, car seule l'interdépendance peut assurer le va-et-vient propice à l'élaboration. La reconnaissance mutuelle et l'ouverture de chacun créent un accord implicite où les gestes et la parole jaillissent dans une découverte pour l'un et pour l'autre. Cette improvisation ne peut se faire sans l'acceptation ressentie que l'autre n'est pas un objet pour soi, que l'autre dans sa nature essentiellement libre ne peut vraiment, de bonne foi, se soumettre à des manœuvres affectives.

La tristesse de celui qui desserre son ressentiment est exactement ceci : l'aveu qu'il ne peut exiger de personne d'être aimé, l'aveu de son propre échec à changer les autres, à les rendre semblables à lui, à les faire servir à ses fins. Cet aveu comporte par ailleurs l'affirmation que, lui aussi, est libre et qu'il a un droit strict à s'aimer d'abord lui-même.

Quand la personne prend conscience du tort qu'elle s'est fait en cultivant ses rancunes et en refusant d'oublier, il lui reste à se réconcilier avec elle-même et à vivre la tristesse de ce qu'elle a manqué par sa propre frustration. S'en faire le reproche serait encore reprendre le cours du ressentiment.

La tristesse paraît également la seule réponse sensée à la quête d'absolu qui fait de l'individu un perpétuel affairé du désir. L'image qui vient est celle d'Ulysse attaché au mât de son bateau pour résister à l'appel des sirènes. Il ne saurait se satisfaire de ne rien entendre comme il l'impose à ses hommes en leur faisant boucher les oreilles, non, il laisse le désir chanter ses sortilèges. Que disent ces voix ? Quelles fascinantes promesses offrent-elles ? Quelle extravagante et envoûtante irréalité n'arrivent-elles pas à mettre en scène ? Si les liens ne le retenaient aussi fortement, Ulysse n'irait-il pas se perdre et s'abolir dans l'illusion ? Il serait là-bas sur l'île derrière le brouillard, qu'il n'arriverait à étreindre quoi que ce soit. Ces voix appartiennent à l'imaginaire. Elles sont des bonheurs d'images, comme un grand cahier illustré dont sait s'émerveiller un enfant. Ces images sont des images. A confondre les deux plans, on en vient à ne plus éprouver ni le plaisir du réel ni le plaisir de l'imaginaire. On ne peut jouir de sa rêverie qu'en l'acceptant pour elle-même, pour le repos qu'elle donne, autrement elle appelle des énergies démesurées pour des conquêtes impossibles.

La même observation s'applique au désir. Le désir en tant que tel est un état plutôt agréable mais, au lieu de le vivre pour lui-même en le maintenant dans sa tension, il est pour ainsi dire liquidé précipitamment dans l'objet. Cela témoigne d'une difficulté à cultiver l'attrait, à investir le désir dans une réalité bien spécifique et circonstanciée, dans un être perçu pour lui-même avec ses limitations et ses singularités. En maintenant la tension du désir, l'objet du désir a le temps d'apparaître dans son détail, dans son originalité intime.

Prenons l'exemple d'une dégustation. Quiconque se met à bouffer s'alourdit vite et surtout ne perçoit presque rien de ce que sont cette nourriture et ce vin. Chez celui qui sait vraiment goûter, le désir s'agrandit dans ses rapports dynamiques avec le renoncement. La dégustation implique à la fois l'appétit et le refus de manger. C'est la consommation en tant que telle qui constitue la négation de l'appétit et non la retenue. Le désir est un bonheur d'appétit à prendre pour ce qu'il est, pour l'enthousiasme qu'il suscite et la vitalité qu'il ranime. Il a essentiellement pour fonction de donner de la valeur à l'existence. Par cette seule fonction, le désir a déjà sa raison d'être sans que l'individu doive exiger l'appropriation des objets sur lesquels il porte. Autrement dit, il doit savoir rêver pour le plaisir de rêver et désirer pour le désir lui-même. Alors le désir est toujours là où est l'individu. Tout est là, et non dans un ailleurs meilleur, dans une utopie, dans une femme inconnue, dans un temps à venir. Il n'y a pas, en conséquence, d'opposition radicale entre le désir et la réalité.

Le désir, c'est ce qui peut arriver de mieux à une personne, c'est ce qui peut lui arriver de pire aussi, selon la conception qu'elle en a. C'est le propre du désir, d'être inassouvissable. La maison rêvée ne sera jamais la maison réelle, car une fois réelle elle n'est déjà plus la maison rêvée. La personne a pourtant besoin de porter en elle des rêves et des désirs qui dynamisent son quotidien mais quel tourment pour elle de ne pas pouvoir renoncer au moindre objet marqué par son désir ! Cela la place dans la situation de substituer constamment un objet valorisé à un autre qui le devient tout autant et même davantage. L'impossibilité de renoncer à quoi que ce soit rend tout objet désiré déjà indésirable car, pour être vraiment aimé, il faudrait qu'il soit privilégié, choisi pour durer, éprouvé dans son importance et dans son attachement, ce qui l'oblige à éliminer.

Pour celui qui est en quête d'absolu, la tristesse à vivre est celle du renoncement. Y-a-t-il quelque chose de plus absurde en apparence que de renoncer à un plaisir ? Ainsi, quand quelqu'un cesse de fumer, il se convainc d'abord que le tabac est nocif. Il s'en fait un grand discours intérieur mais le public à deux mains auquel il s'adresse n'applaudit pas avec enthousiasme. C'est plutôt la tendance inverse qui s'impose et qui rend la résolution défaillante : que c'est bon de fumer ! et pourquoi donc faudrait-il renoncer à un plaisir ? les autres fument, eux, et moi je m'en priverais ! eh oui, il faut bien, pour ta propre santé, c'est bien triste mais c'est comme ça. Et, peu à peu, en faisant le deuil, une après une, des cigarettes qu'évoque l'envie de fumer, commence à prendre forme la sensation neuve de s'appartenir davantage et d'être sensible à des besoins personnels plus réels, plus profonds et moins compensatoires que ceux du tabac. Lorsque, enfin, son arrêt de fumer s'est consolidé au point qu'il ne s'en préoccupe plus, il est à même de constater le caractère illusoire de son besoin. Il a dissipé une sorte de mythe qui lui faisait croire sincèrement que la vie serait insipide et insoutenable sans le tabac. Cela crée une impression étrange : comment ai-je pu faire un absolu d'un objet aussi insignifiant qu'une cigarette ? Cela témoigne de la puissance suggestive du désir.

L'expérience du renoncement ne saurait se réduire à l'extinction d'un conditionnement. Elle implique d'une manière plus générale l'acceptation du désir en tant qu'il est de sa nature d'être inassouvissable. Le renoncement dont il est question n'a rien du sacrifice. Il ne s'agit pas de refuser ce qui est bon et possible pour soi, mais de renoncer à l'impossible qui prend des allures de réalité : impossible de tout posséder, d'avoir tous les talents, d'être le meilleur dans tout, de vivre toujours heureux, amoureux, énergique ; impossible de connaître tous les êtres humains, de partager sans restriction, d'être totalement pur dans ses intentions ; impossible de changer les choses sans obéir à des rythmes et à des libertés ; impossible de commander la joie ; impossible d'avoir les réponses à toutes les questions.

En renonçant à l'absolu du désir, l'individu peut aimer sa réalité avec le meilleur de lui-même plutôt que de le garder, comme jadis, à nourrir son idéalisme. Il arrive ainsi à introduire dans sa vie des forces d'avenir qui jusque-là servaient l'éphémère.

La tristesse est également la seule réponse sensée au sentiment d'exclusion. Nous avons vu comment le conformisme et la complaisance ne peuvent constituer des solutions valables au manque d'appartenance, car on ne saurait être chez soi en niant ses droits et son identité. On ne peut avoir sa place, non plus, en évitant les autres par suffisance et par timidité.

Celui qui se sent exclu n'accepte pas la distance qui existe entre les êtres. Il a vécu, souvent à l'âge de la plus grande dépendance, une indifférence, une séparation ou encore un rejet tel, que toute mise à distance et toute nuance d'opposition éveille une certaine forme de détresse. C'est pourquoi il tente coûte que coûte de se coller littéralement aux autres en les écoutant, en les comprenant, en les approuvant, en les encourageant, en étant du même avis, en adoptant les mêmes valeurs et en se ralliant aux mêmes décisions.

C'est la peur d'être seul qui le pousse à se faire valoir, à mériter une place. C'est la peur d'être seul qui lui fait éviter les conflits et le contraint à séduire. Mais que d'énergie libérée quand il accepte vraiment sa solitude comme une donnée absolue, comme une caractéristique inhérente au fait même d'exister ! Alors, il n'a plus à se rendre irréprochable, il n'a plus à raisonner avec les subtilités qui lui éviteraient d'être contredit, il n'a plus à craindre l'affrontement. Il accepte que tout être humain puisse être objet de critique, qu'il puisse être jugé défavorablement par d'autres, qu'il puisse ne pas être aimé de tous. Il accepte cette distance avec les autres. Il sait bien qu'il ne peut être compris de tous, qu'il y en aura toujours pour déformer ce qu'il communique. Il n'a tout de même pas à se rendre responsable de la perception que les autres ont de lui. Acceptation et tristesse d'être objet d'incompréhension, de préjugés et de moqueries parfois, cela fait partie de la distance, comme en fait partie également cette sorte d'opacité qui permet à des êtres d'avoir les uns pour les autres des feintes et des secrets. Il y a rencontre entre les êtres et non pas fusion, non pas obligation de s'ouvrir, de se confier et encore moins d'aimer. Quand l'individu accepte profondément sa solitude, il n'a plus à quémander à personne son droit d'exister et il commence à vivre des rapports de liberté où il affirme enfin ce qu'il est. Alors, par une espèce de paradoxe qui nous est devenu familier, l'espace affectif qu'il met et qu'il permet aux autres le garde lui-même assez à l'abri de l'envahissement pour se laisser aimer et appartenir. Il connaît désormais la solitude tranquille de celui qui se sait seul parce qu'il est unique et non parce qu'il est déchu.

La tristesse est aussi la seule réponse sensée à l'invalidation personnelle. En fait, la préoccupation de s'améliorer rend les défauts encore plus insupportables. L'individu va-t-il devoir toute sa vie réprimer sa spontanéité sous prétexte qu'elle est indigne de l'idéal qu'il se fait ? Va-t-il s'épuiser dans l'effort de contrôle sans jamais connaître ce qu'il est réellement ?

C'est triste de renoncer à la perfection et d'accepter ses limites, d'autant qu'il semble toujours qu'on pourrait les reculer ; du moins, l'énergie que l'on met à être meilleur retarde l'échéance de devoir admettre sa finitude. Elle est triste, cette finitude, car elle est refusée depuis l'enfance. Il a fallu besogner dur pour réussir, pour ne pas échouer, pour rester dans la compétition. Des punitions et des récompenses se sont ajoutées à l'exigence d'être efficace, compétent et fort.

Nous poursuivons presque malgré nous le vieux rêve déçu des générations précédentes mais tendre vers la perfection ne peut que placer nos comportements et nos réalisations dans la catégorie de l'en deçà, dans celles de l'insuffisance et du mécontentement.

Il n'y a pas d'autres solutions que d'accepter ses limites. Chacun peut s'exercer, s'entraîner pour aller plus loin, pour acquérir plus de ceci ou de cela, pour être encore plus ceci ou moins cela mais, au bout de l'effort, il ne pourra trouver encore que l'imperfection. Ce qu'il peut faire de mieux alors, c'est de vivre complètement son incomplétude, pleinement son vide et absolument sa contingence. S'il accepte d'une façon ressentie qu'il est de sa nature d'être faible et vulnérable, qu'il a des peurs, qu'il est impuissant vis-à-vis de la maladie et de la mort, qu'il ne peut avoir des garanties que ses jugements et ses choix sont peu sûrs, qu'il y a impossibilité de prévoir les conséquences lointaines de ses actes, alors il ne risque pas d'être déçu par ce qu'il fait et par ce qui arrive. Il peut même s'étonner agréablement de ce qui est l'origine de sa personne.

En reconnaissant sa finitude, à remarquer comment les personnes qui se font dire leurs vérités en viennent après le choc à remercier presque celui qui a eu le courage ou l'agressivité de dire le fond de sa pensée, il connaît une sorte de vertige où il tombe de l'idéal à l'actuel, de l'image au réel. Il a fait une chute jusqu'au fond de sa nature et l'avantage d'être au fond c'est de s'y reposer, c'est de ne plus être autre que soi. Il prend congé de l'obsédante idolâtrie de l'image personnelle. Il ne craint plus d'être invalidé.

La tristesse n'est pas une solution tellement appréciée. On lui préfère la volonté de puissance : encore plus d'effort. On lui préfère aussi les tranquillisants ou encore les plaisirs forcés. On oublie sa tristesse. Alors, la tristesse reste là comme un vide qui paraît chaque fois que l'agitation cesse. Cette tristesse n'est jamais assumée assez longtemps pour qu'elle acquière un sens, pour qu'elle devienne de l'acceptation comprise comme de l'oubli, du renoncement, de la distanciation et du repos.

La tristesse comme réponse au sentiment de privation n'est pas dépression. Elle n'est pas tristesse sans objet, sans raison. Elle est tristesse de l'inachevé, de l'impossible, de la solitude et de la finitude.

La tristesse est la seule solution qui ne soit pas hors de soi. Elle fait rentrer « chez soi ». Elle est tendresse pour soi. Quand l'homme est extérieur à lui-même, il se traite comme un objet qui doit se soumettre à ses ambitions. Alors il se travaille pour être un instrument plus efficace, mieux adapté encore à la lutte qu'il mène. Il se contrôle, il se donne des ordres, il se fait des reproches, il s'impose des vertus et réprime ses envies. Il entretient à son égard des rapports conflictuels et insupportables, au point qu'il en vient à se détester et à se faire peur. C'est ce que la psychiatrie appelle le moi divisé. Mais dès lors qu'il accepte sa tristesse, il modifie radicalement l'attitude qu'il a pour lui-même. La conscience qui critique et qui contrôle se transforme en conscience qui comprend. Celui qui est triste n'a besoin ni d'exhortation, ni de manœuvre à ne plus l'être. Il a besoin de compréhension et, pour la première fois de sa vie sans doute, il se libère du point de vue des autres et commence à se voir de l'intérieur, à partir de lui. Il réalise qu'il n'a jamais réellement pris parti pour lui, pris le parti de s'aimer, de se prendre tel quel, de prendre soin de lui et de s'abandonner à son propre support. Il découvre le pouvoir qu'il a d'être sa propre mère et son propre père.

L'expérience d'être sa propre mère et son propre

père ne consiste pas à reproduire les attitudes qu'ont eues et qu'ont encore les parents réels. Elle correspond à l'affection qu'une personne est en mesure de ressentir pour elle-même quand elle sait être pour elle la mère idéale et le père idéal dont elle a besoin. Chacun sait pour lui ce qui est bon pour lui.

Ce qui est bon pour la personne triste, c'est d'abord d'être comprise. L'expérience d'être son parent consiste donc à s'écouter, à laisser parler la partie d'elle-même insatisfaite et vulnérable. Elle apprend à se recevoir et à ne pas se bousculer. Les retrouvailles de soi à soi appellent des longs moments de partage et de réconciliation. Il y a tant d'impressions qui montent, tant de déceptions intimes qui sollicitent une attention bienveillante et tant de malaises qui cherchent des mots pour se libérer.

Cette présence à soi permet peu à peu de découvrir ce que signifient les tensions que l'on éprouve. Cette présence donne un langage à ce qui n'était autrefois que des événements physiologiques. L'expérience d'être son parent devient celle d'une intimité corporelle. Ainsi ce témoignage :

« J'étais couché du côté gauche et je ne pouvais m'empêcher de sentir mon cœur battre. J'étais mal à l'aise et, comme j'allais me retourner, il m'est venu que c'était bizarre d'avoir peur de moi. Alors, pour la première fois, j'ai vraiment pris la peine de le considérer comme mien. Il s'est vite calmé. J'étais bien. Je me suis mis à lui parler, c'est idiot, mais cela a produit un effet extraordinaire. Je lui ai dit qu'il était important, très important pour moi, et que je n'avais pas pris la peine de m'y arrêter et de le prendre vraiment en considération. J'ai acquis la conviction que je peux compter sur lui. Il fait partie de moi et cela m'a donné l'envie de faire la même chose pour d'autres parties de mon corps. »

Le psychologue américain Eugène Gendlin[1] propose de considérer tout point de tension comme porteur d'un sens pour l'individu. Si celui-ci lui accorde une attention qui ne cherche pas à juger ni à expliquer, alors des images arrivent et des mots s'imposent à la conscience. Il existe un sens émotionnel à l'origine de nos gestes, postures, intonations, à l'origine de nos perceptions, pensées. Ce sens émotionnel participe étroitement à la vie de l'organisme et c'est pourquoi une attention à ce qui est ressenti devient une attention au corps.

S'écouter, se prendre en considération, prendre soin de soi, se faire du bien, c'est le message essentiel de Thérèse Bertherat[2], et c'est cela qui explique le succès de son anti-gymnastique. Ce livre est aimé non pas tant pour ses techniques de massage que pour la reconnaissance qui est ainsi faite du droit à la tendresse. On fait le même accueil aussi au docteur Frédéric Leboyer[3] pour sa conception douce et intimiste de la naissance. L'intérêt croissant que le public accorde aux collections consacrées au corps et à la relaxation témoigne d'un

---

1. *Une théorie du changement de la personnalité*, C.I.M., Montréal, 1970.
2. *Le Corps a ses raisons*, Seuil, Paris, 1976.
3. *Pour une naissance sans violence*, Seuil, Paris, 1974.

même retour. L'homme s'est oublié quelque part. Il a un besoin de recommencement, un besoin de mère. Le corps devient progressivement intériorisé. Alors qu'il était un corps étranger qui faisait pour ainsi dire partie de l'environnement, il se transforme en milieu intérieur, en volume en quelque sorte voluptueux, habité, occupé dans sa totalité, animé et aimé, assez pour que le biologique, de chaud qu'il était, devienne chaleureux. L'individu commence à se vivre pleinement et à sentir que la vie est ronde, qu'elle est généreuse, qu'elle n'a plus les angles et les aspérités de la privation. Il sait être bon pour lui. Il sait qu'il est important pour lui de se dire de temps en temps qu'il est utile et efficace. Il sait reprendre dans ses mots et convertir en son langage intérieur l'appréciation que lui manifeste parfois son entourage. Il sait profiter de ses réussites pour s'encourager vraiment, pour en tirer une fierté qui dure, pour prendre au sérieux sa valeur personnelle et le respect de lui-même. Il en vient à se donner des raisons de s'estimer qui ne sont pas connues des autres, à un point tel qu'il lui arrive de dire non, de marquer son désaccord et, comble de la transformation, d'être bien dans ses refus, dans ses rejets et de se sentir sain de ne pas toujours aimer.

L'expérience d'être sa propre mère et son propre père rend la personne de plus en plus habile à saisir ses motifs d'agir, ses besoins, ses désirs. Elle sait mieux qu'avant identifier les personnes qu'elle aime et qui lui font du bien. Elle sait mieux choisir ses activités de loisir, ses disques, ses lectures. Elle a une idée plus claire de ce qu'elle veut et de ce qui doit fonder ses décisions. Elle s'éparpille moins dans toutes sortes de tâches et s'engage davantage dans des projets qui ont de l'importance à ses yeux. Elle essaie d'influencer son milieu social dans le sens de sa liberté et d'aménager son milieu physique pour qu'il soit encore plus l'expression de sa vie intérieure.

Elle fait ainsi la découverte de ce qui est à elle au-dedans et de ce qui est pour elle au-dehors. La tristesse tend donc à se dissiper à mesure que se développe la capacité d'éprouver le plaisir. Non seulement elle est moins triste, elle est aussi moins dépendante des autres et des circonstances. Sous l'effet déformant de la privation, elle avait ignoré les ressources affectives propices à lui rendre ses énergies. Se révèle à elle maintenant une capacité d'aimer qui l'étonne et qui l'émeut. Elle n'aurait jamais cru qu'elle puisse être à l'origine d'un tel bien-être. Non seulement elle sait se faire du bien, mais, en plus, elle se sait capable d'aimer. Aussi l'impression d'un manque laisse-t-il peu à peu la place à celle d'une certaine plénitude, d'un surplus de bien-être qui rend les relations avec les autres plus désintéressées, plus dégagées des besoins narcissiques. Ce sont là des gains secondaires en comparaison d'un autre effet, celui-là beaucoup plus fondamental, qui est d'être unifié.

Pour comprendre le sentiment d'être unifié, il faut connaître le couple pensée-émotion. Si la pensée domine l'émotion par une sorte de répression massive, la connaissance devient surintellectualisée et sans rapport avec l'existence ressentie, sans rapport avec les données de l'expérience. Ce que pense l'individu et ce qu'il vit risquent de prendre des directions opposées. Par ailleurs, son affectivité est d'une certaine façon mise entre parenthèses, elle reste là comme une potentialité latente, insensibilisée, soumise à un contrôle totalitaire, assujettie à une volonté de puissance. L'inverse peut se produire aussi. Lorsque l'émotion domine la pensée, l'individu ne peut se détacher de la situation concrète dans laquelle il est. Il est tout entier livré à l'impulsion du moment et, emporté par sa colère ou par la peur, il expérimente les états extrêmes de l'euphorie et du désespoir. La poussée submergeante qu'exerce l'émotion sur l'individu rend toute idée de durée impossible. Aucun projet, aucune intention comportant un certain terme ne peuvent être assurés de leur accomplissement ; aucune relation avec autrui ne peut s'approfondir et s'engager dans une certaine fidélité.

Répression massive par la pensée et décharge également massive par l'émotion correspondent à deux distances pathologiques : la première prend la forme d'un détachement et la seconde, d'une adhérence. L'unité de la personne se trouve précisément dans le rapport intégré et pour ainsi dire égalitaire de ces deux absolus.

Le professeur Henri Wallon qui fut l'un des plus éminents psychologues de l'enfance a mené des travaux importants et toujours actuels sur la formation du caractère et sur le développement de l'affectivité. Il propose une théorie des émotions qui va nous permettre de comprendre en quoi consiste ce sentiment d'être unifié.

Wallon remarque d'abord le pouvoir de contagion que détient l'émotion. C'est un langage premier et archaïque, une façon globale de réagir : « Une sorte de consonance et, d'accord ou d'opposition, s'institue très primitivement entre les attitudes émotionnelles des sujets qui se rencontrent dans un même champ de perception et d'action. Le contact s'établit entre eux par mimétisme ou contraste affectif. C'est par là que s'instaure un premier mode concret et pragmatique de compréhension ou, mieux, de participationnisme mutuel. La contagion des émotions est un fait qui a été souvent signalé[1]. » Et, c'est grâce à ce pouvoir propagateur de l'émotion que le nourrisson s'insère dans le monde et qu'il répond globalement au milieu, non en tant qu'être distinct, mais plutôt en tant que prolongement et expression même de la situation dans laquelle il se trouve. Mais, « dès que la mimique devient langage et convention, elle multiplie les nuances, les complicités tacites, les sous-entendus et subtilise, à l'encontre du *raptus* unanime qu'est une émotion authentique[2] ». Cela revient à dire que le langage et la représentation transforment le caractère indifférencié, totalement impulsif, de l'émotion primitive en quelque chose de moins contagieux mais en même temps de plus nuancé et de mieux approprié aux particularités des situations. L'émotion gagne en diversité, en applications multiples et, surtout, en raffinement et en justesse. Ce n'est plus l'automatisme de l'espèce qui domine, mais davantage l'affectivité liée à l'émergence de la personne.

Une des contributions importantes de Wallon est d'avoir montré comment la pensée ou la représentation transforme l'émotion en sentiment. « L'enfant, que le sentiment sollicite, n'a pas à l'égard des

---

1. *L'Evolution psychologique de l'enfant*, A. Colin, Paris, 1952, p. 124.
2. *Op. cit.*, p. 126.

circonstances les réactions instantanées et directes de l'émotion. Son attitude est d'abstention... La passion peut être vive et profonde chez l'enfant. Mais, avec elle, apparaît le pouvoir de rendre l'émotion silencieuse [1]. »

Ainsi pouvons-nous échapper à la loi du tout ou du rien. Emotion et pensée ne sont pas des antagonismes irréductibles mais tout au contraire des polarités qui trouvent leur synthèse dans le sentiment et encore plus dans la passion. Wallon distingue ainsi l'émotif et le passionné. « La représentation peut être aussi celle d'un but ou d'un objectif qui s'impose à l'affectivité et qui règne sur elle. Elle éteint l'émotion dans la mesure où elle la transforme en passion. Le passionné est habituellement très maître de ses réactions affectives. Sur les impulsions émotives, il donne le pas au raisonnement. Il sait habituellement utiliser avec ténacité les circonstances. Son activité s'exerce dans le plan des réalités et les fait servir, souvent avec sagacité, à ses fins. Mais ses fins sont en dehors de la réalité, du moins actuelle : elles tendent à lui substituer quelque chose qui n'est encore qu'en représentation. La différence du passionné avec le sentimental, c'est son besoin de faire passer ses représentations dans les faits, au lieu de se borner à en éprouver la nuance affective.

« La différence est plus grande encore avec l'émotif, qui est dominé par son ambiance, qui ne sait pas y échapper, mais dont les réactions sont d'ordre purement subjectif et tendent à noyer la notion des

---

1. *Op. cit.*, p. 128.

réalités extérieures sous le flux des sensibilités organiques [1]... »

L'excitation émotive emporte, mais cet emportement n'a rien de l'unité. Elle risque fort d'être l'angoisse elle-même, si aucune pensée ne peut lui donner sa signification. Elle risque d'être un événement physiologique dont devient victime celui qui l'éprouve. N'est-ce pas au fond la véritable insécurité, celle qui consiste à être envahi, dépossédé en son propre corps par des réactions auxquelles l'intelligence ne participe pas ?

Ce n'est pas l'émotion comme telle avec son plein d'énergie qui constitue à proprement parler la vie affective mais bien la représentation qui peut y être introduite et qui fait agir intentionnellement l'individu bien au-delà de l'ici et du maintenant. C'est le sens donné à l'impulsion émotive qui va former l'action, les projets, les passions. Il ne s'agit pas de liquider l'émotion pour elle-même comme le préconisent à tort certaines psychothérapies du plaisir immédiat et du défoulement illimité, mais plutôt de prendre appui sur l'énergie qu'elle libère pour transformer l'environnement. Quand le pouvoir de nommer se tient proche des sanglots, ce qui allait défaillir se métamorphose en demande efficace, en sympathie et solidarité, en résolution ferme d'obtenir ce qu'il faut. Quand la conscience suspend la colère, la violence du geste devient la puissance de toucher à distance, d'atteindre l'autre psychologiquement, en le persuadant, en le rejoignant de l'intérieur.

---

1. *Les Origines du caractère chez l'enfant*, Boivin, Paris, 1934, p. 153.

La présence à soi, la tendresse pour soi fait que l'émotion reçoit une attention immédiate et qu'elle parvient rarement, dès lors, à des niveaux de tension extrêmes. C'est pourquoi l'individu se sent unifié et continu. Cette attention ne porte pas nécessairement sur des besoins immédiats. Elle s'attache aussi à satisfaire des motivations durables ; elle s'applique à répondre à des motifs engendrés depuis longtemps mais qui ont encore un pouvoir déterminant. Comme l'a si bien noté Pierre Janet[1], il existe une énorme différence entre la volonté qui déclenche l'acte et celle qui le continue, entre les causes de déclic et les causes de déroulement, entre le coup de foudre et la fidélité. Les élans et les enthousiasmes ne garantissent pas la réalisation des visions premières. Pourtant, l'homme ne saurait refuser le pouvoir qu'il a d'aller plus loin que le réflexe. Gaston Bachelard a cette formule heureuse : « La pensée, la réflexion, la volonté claire, le caractère opiniâtre donnent de la durée à un acte éphémère en apprenant à y adjoindre des actes secondaires appropriés. Nous saisissons donc la durée dans son caractère de conduite, dans son caractère d'œuvre[2]. »

Ainsi, l'émotion et la pensée, conjuguant leur fonction respective d'adhérence et de détachement, font les sentiments stables, les motivations qui engagent, les passions qui comptent. Le sentiment d'être unifié est celui aussi d'être continu, de n'être

---

1. *L'Evolution de la mémoire et de la notion de temps*, 1928.
2. *Dialectique de la durée*, P.U.F., 1950, p. 40.

pas complètement fragmenté par les sollicitations éparses et contradictoires des circonstances. Il n'est pas qu'une réponse de contagion à un milieu qui provoque. Il n'est pas réaction. Il est action, il est finalité interne qui sait profiter du hasard pour réaliser ce qu'il veut. « Pour penser, pour sentir, pour vivre, il faut mettre de l'ordre dans nos actions, en agglomérant des instants dans la fidélité des rythmes, en unissant des raisons pour faire une conviction vitale [1]. »

Le domaine des valeurs résulte d'un rapport harmonieux entre la vie émotive et celle de la pensée, car on ne saurait avoir des valeurs qui ne correspondent pas à son expérience. Il se trouve que des gens provoquent leur tourment en s'imposant des standards qui n'ont rien à voir avec ce qu'ils ressentent comme important pour eux. Ce sont là des conditionnements, des vérités sociales, incorporées pratiquement à l'insu du sujet et qui creusent l'écart entre ce qu'il veut faire et ce qu'il doit faire. L'expérience d'être sa propre mère et son propre père consiste à formuler ses règles d'existence et à définir ce qui vaut la peine d'être fait. Si l'individu n'interroge pas ses motivations et n'identifie pas ce qui le met en mouvement, ce qui l'inspire et le nourrit, alors les sollicitations de l'environnement se vaudront toutes et ne pourront qu'entretenir une sorte de gavage désabusé.

L'expérience d'être son propre parent, en résumé, est celle d'une tendresse pour soi, d'une présence qui résulte du rapport de l'émotion et de la pensée,

---

1. Gaston Bachelard, *op. cit.*, p. 20.

émotion de mieux en mieux comprise et pensée de plus en plus ressentie comme attachée à l'expérience, ce qui accentue l'impression d'être unifié et continu. Cette affection, au risque d'introduire une catégorie sexiste, constitue en quelque sorte la dimension maternelle du parent. L'expérience d'être son parent comporte aussi une dimension paternelle qui est celle d'une protection pour soi.

En comprenant ce qu'est la peur, nous pouvons mieux saisir ce qu'est la sécurité affective. Henri Wallon a démontré comment la peur procède d'une difficulté au plan organique de maintenir l'équilibre. Sous l'effet de la peur, l'individu perd appui, devient maladroit, incoordonné, pris de vertige et de tremblements. Cette description dit bien ce qu'est l'incertitude, ce qu'est l'impossibilité de réagir d'une manière linéaire, c'est-à-dire adroitement. La respiration se trouble, l'activité s'interrompt, l'esprit s'avère incapable de se fixer et d'adopter une attitude définie :

« L'attitude à prendre se dérobe, causant la même impression qu'a celui qui sent le sol lui glisser sous les pieds. Ici encore, c'est donc à une défaillance dans le domaine des attitudes et dans celui de l'équilibre qu'est due la peur[1]. »

Cette défaillance de l'attitude se ramène en fin d'analyse à l'impossibilité pour le sujet de réagir à la situation. Sa défaillance le livre pieds et mains liés

---

1. Henri Wallon, *op. cit.*, p. 120.

au jeu des causalités externes. Cela donne une sensation d'hébétude et d'impuissance. L'individu est pour ainsi dire immergé dans l'expérience sans pouvoir s'en détacher. Il a perdu le pouvoir de s'orienter dans l'espace et celui, dans le temps, de faire des choix.

Wallon, en s'interrogeant sur l'origine de la défaillance, a pu identifier deux occasions de peur.

« Sous son aspect le plus massif et le plus brut, elle répond aux situations catastrophiques qui dépassent tellement nos moyens moteurs ou conceptuels que toute sorte de contenance est devenue impossible... Elle peut traduire aussi le conflit entre deux attitudes inconciliables et l'état d'incertitude ou de suspension pénible qui en résulte[1]. »

L'imminence d'une catastrophe et le conflit entre deux attitudes opposées constituent donc les fondements de la peur et fournissent les concepts charnières qui vont nous faire comprendre l'insécurité.

En supposant que l'insécurité soit un état en quelque sorte généralisé de la peur, une peur chronique et diffuse, nous pouvons faire l'hypothèse d'une catastrophe première et aussi d'un conflit essentiel qui expliqueraient l'insécurité. Examinons d'abord l'insécurité-incertitude et, plus tard, l'insécurité-catastrophe.

Existe-t-il un conflit essentiel qui expliquerait cette insécurité-incertitude ? N'est-ce pas l'insécurité

---

1. *Op. cit.*, p. 121.

de celui qui fait quelque chose avec l'idée qu'il devrait faire autre chose ? Il regarde un spectacle mais il lui vient qu'il devrait être ailleurs, en train de travailler, peut-être. Il s'occupe, mais avec la sourde résistance de celui qui s'ennuie. Il connaît le supplice de se coucher sans trop savoir si vraiment il veut dormir. Il n'arrive pas à compartimenter ses intentions, à encadrer ses activités, à maintenir ses décisions. Son attention ne se pose pas vraiment. La personne qui vit dans cette insécurité paraît instable, souvent soucieuse et absente ou compulsivement présente, le regard exorbité avec derrière la tête des préoccupations, des accaparements. Elle donne des signes de désarroi. Elle se sent divisée, sollicitée qu'elle est à deux niveaux à la fois, celui de sa situation présente et celui de sa survie.

C'est là son conflit essentiel qui la rend si incertaine, si incapable d'adopter une attitude définie. Elle a l'impression agaçante que quelque chose est à faire qu'elle ne fait pas. Il s'ajoute à son présent une tension qui dérange son attention. Cette tension correspond à un besoin de survivre, à un effort qui assurerait l'existence.

La personne ainsi divisée entre le présent et une espèce de nécessité de survie connaît un état quasi constant d'impermanence. Cette impermanence se trouve dans les moindres détails de son comportement. Elle l'empêche, entre autres, d'exécuter les tâches d'un trait continu ou encore d'être raisonnablement certaine de pouvoir les reprendre après interruption. Cette impermanence lui fait suspendre un acte au profit d'un autre tout aussi susceptible d'être abrogé. Cette impermanence explique sa vulnérabilité, son doute maladif, son peu de conviction, sa difficulté à résister à l'ambiance et aux influences d'autrui, sa conscience excessive, aussi, du fait qu'un jour elle va mourir.

Le pouvoir d'être son parent signifie, dans le contexte de cette insécurité, d'avoir un rythme bien à soi. L'expérience de vivre selon son rythme suppose une attention focalisée sur l'action en cours. L'individu est convaincu à ce moment précis que l'objet ou l'objectif actuel mérite son attention entière et qu'il n'y a pas de raison de se laisser distraire par d'autres buts. Alors les gestes, les réponses, les pensées, peuvent s'accomplir dans leur extension, sans précipitation et avec un certain plaisir de faire. S'il y a un sens à donner au précepte de vivre son présent, c'est bien celui-ci : une attention complète à ce qui est choisi comme objet d'attention.

Si, en effet, vivre son présent consistait à être conscient du plus grand nombre possible de choses, nous serions dans une extrême confusion, puisque la conscience serait fragmentée, pour ne pas dire éclatée, en une multitude de stimulations qui ne saurait produire que des réactions incoordonnées. Ainsi, ce témoignage :

« Vendredi soir, je me suis mis à la tâche d'assembler la clôture. A ma surprise, le travail a vite progressé. Je sciais et je montais les pièces avec aplomb. J'avais mon rythme et je ne me sentais perturbé par rien de ce qui arrivait alentour. Jacques m'a aidé toute la soirée en plantant les clous. L'harmonie entre nous était facile.

« Quand j'ai laissé la tâche, faute de bois, j'étais content et fier. Le lendemain, donc, je poursuivis l'ouvrage, avec l'idée cependant qu'en fin de journée j'en aurais fini avec le programme que je m'étais imposé. Comme c'était samedi, il y avait quelques courses à faire. J'ai dû amener Hélène et Louise au parc, accompagner Jeanne pour l'achat d'une bicyclette. Bref, je suis devenu peu à peu tendu, contrarié, au point qu'on ne pouvait plus me parler. Quand Jeanne m'a demandé d'ajuster le siège et les guidons, je me suis surpris à le faire avec une certaine rage. Ce que faisait Jacques m'agaçait, me rendait irritable. J'étais fatigué. Je ne savais plus m'arrêter.

« J'ai vécu souvent ce genre de situation. Je deviens inquiet, impatient, exaspéré, quand je me perds dans la tâche, quand je mets mon existence à obtenir tel résultat dans un délai donné. Alors je m'essouffle, je suffoque. Je deviens comme dépassé et à ce moment-là je perds mes moyens, je travaille mal, je suis maladroit, je risque de bâcler le travail sur un coup de tête. C'est le cas de le dire, ça me donne mal à la tête. »

Ce cas illustre l'instabilité ressentie à ne pas savoir s'il faut donner suite au travail commencé ou s'il faut répondre aux indications du milieu. On pourrait croire à un conflit entre l'individu et son environnement. Devrait-il agir à partir de ce qu'il veut ou à partir des exigences qui surgissent ? Cela se révèle à l'analyse être une fausse opposition, car il décide toujours sur la base de ce qu'il veut. Il peut vouloir laisser la tâche pour répondre à une demande, parce qu'il considère qu'il est plus important pour lui de faire plaisir à la personne en question, ou encore qu'il est plus agréable, tout compte fait, d'éviter l'inconvénient ultérieur qu'entraînerait sa persistance actuelle et qu'il trouvera le moyen de reprendre les choses là où elles auront été laissées. Il devient clair que quelqu'un décide, par la définition même de ce qu'est un choix, en fonction de ce qui paraît la meilleure possibilité pour lui, le compte-tenu-de-la-réalité étant subordonné en dernière instance au bien-être personnel.

L'insécurité contenue dans le témoignage n'est pas celle d'une faiblesse par rapport aux pressions du milieu. Beaucoup de gens sont sous l'effet de cette illusion. Elle réside plutôt dans le fait que l'individu cesse de décider. Il lâche la prise qu'il a sur le réel en laissant flotter son pouvoir de prendre parti. Alors, il perd appui en cessant d'être intentionnel. Il se laisse littéralement accaparer par ce qui arrive. Il ne s'appartient plus. Il aurait pu décider de maintenir son activité en assumant les contrariétés que cela entraîne. Il aurait pu décider de suivre le mouvement des circonstances, et, dans tout cela, quel que soit le parti qu'il prenne, le fait essentiel est qu'il décide et qu'il ne cesse à aucun moment d'être intentionnel. Voilà donc ce qu'est précisément un rythme bien à soi : une présence qui marque son accord avec ce qui se fait. A l'inverse, le personnage décrit précédemment ne besogne plus par choix et ne collabore pas sur la base d'un consentement assumé qui seul aurait permis une focalisation réussie, une attention entière et indivisée à ce qui alors aurait été voulu plutôt que subi. Il a cessé psychologiquement d'exister, il n'était plus à l'origine de son action, il n'était plus le centre immobile du tourbillon.

Avoir son rythme, cela veut dire battre la mesure, marquer le temps, ponctuer ses rapports avec l'environnement, s'occuper de mettre les points et les virgules dans ce qui serait autrement du désordre, cela veut dire que l'on est dans la situation parce qu'on le veut, car, même sous la contrainte, on a le choix de vouloir éviter les sévices, punitions, conséquences fâcheuses ou encore de refuser la contrainte et de lui opposer une résistance farouche ou encore de feindre une soumission jusqu'à ce que les conditions se modifient. Dans tous ces cas, l'attitude retenue servira le mieux-être possible de cet-être-en-situation.

Cette présence voulante n'est pas une volonté de puissance. Il ne s'agit pas d'un contrôle. Cette présence voulante n'arrête pas la musique mais elle fait en sorte que l'individu ne perde pas le pas, que son mouvement soit entier dans une attitude définie. Cette présence voulante est un pouvoir d'attention.

Ce pouvoir d'attention trouve son explication dans les travaux du professeur H. A. Witkin et de son équipe de l'université de New York[1]. Ce qui débuta il y a vingt-cinq ans par une recherche en perception s'est transformé par la suite en une étude très importante de ce qui constitue la formation de la personnalité. La question presque anodine du départ concernait la nature de la verticalité. L'estimation de la verticalité tient-elle à la position qu'occupe l'objet dans l'espace ou tient-elle plutôt à la position corporelle de l'observateur ? Le dispositif

---

1. *Psychological Differentiation*, John Wiley and Sons, N. Y., 1974.

expérimental fut constitué d'un décor représentant un living-room et pouvant être présenté tout à fait droit et dans toutes sortes de plans inclinés, ainsi que d'une chaise sur laquelle est attaché l'observateur et qui peut, elle aussi, être placée à divers degrés d'inclinaison. Le sujet de l'expérience doit juger dans ces conditions de la verticalité du champ visuel et de sa propre position dans l'espace. Cette épreuve et quelques autres ont révélé deux manières bien différentes de percevoir, l'une est dépendante du champ et l'autre est indépendante du champ. Celui qui dépend du champ se déclare dans une position verticale quand il est bien aligné avec le décor. Peut-on imaginer vraiment ce que cela représente concrètement ? Quand la pièce est inclinée de 35° à droite, il perçoit son corps vertical quand lui-même est penché de 35° à droite et, quand la pièce se déplace de 35° à gauche, il s'expérimente alors comme très incliné et demande à être incliné jusqu'à ce qu'il soit en plan direct avec l'environnement, donc à 35° à gauche. Cela signifie qu'il n'arrive pas à faire une distinction claire entre lui et l'entourage, qu'il y a dans cette expérience une fusion du corps et du champ.

Dans une autre activité, le laboratoire tout à fait sombre, le sujet voit dans une pièce une tige et un cadre revêtus d'une peinture lumineuse. Il est assis et, devant lui, la tige est placée à des degrés divers, indépendamment du cadre qui est fixé dans une inclinaison donnée. Celui qui est indépendant du champ n'a aucune difficulté à indiquer à quel moment la tige est verticale. Elle est naturellement verticale pour lui, lorsqu'elle correspond à sa propre position corporelle qui est d'être assis et d'être conscient de son axe pieds-tête. Celui qui dépend du champ oublie, pour ainsi dire, qu'il existe, et décide que la tige est verticale lorsqu'elle est parfaitement perpendiculaire à son cadre.

Fort de ces résultats, Witkin a multiplié les tests où l'individu doit isoler un item de son contexte. Il est apparu que celui qui dépend du champ, faute d'avoir une conscience claire de son propre corps, a une manière globaliste de considérer les choses, que cela touche ses capacités d'analyser et de résoudre des problèmes et que cela constitue un véritable style cognitif. Cette dépendance vis-à-vis du champ marque ses effets non seulement dans le domaine de la perception et de la pensée, mais également dans celui de la personnalité. Elle est associée au fait d'utiliser des cadres externes de références pour définir ses attitudes et pour se comporter. Beaucoup d'études ont démontré qu'il y a des liens entre une faible perception de son corps et le recours à l'avis des autres et à la conformité. Celui qui est dépendant du champ n'a pas le sentiment d'une identité nette de lui-même, d'une perception marquée des différences entre lui et les autres, entre lui et la situation où il se trouve.

Cette fusion de soi avec ce qui est extérieur à soi tient à une différenciation psychologique insuffisante. Le phénomène de la différenciation s'effectue sur deux plans. Il y a d'abord la formation de ce que nous pourrions appeler un centre interne, fait des sensations éprouvées par le sujet, par l'expérience qu'il fait de toutes les parties de son corps, des fonctions et des activités qui en résultent telles que la faim, la soif, les déplacements dans l'espace, les coordinations, la douleur, les cris, les mots, les gestes, les émotions, les rappels, les souvenirs, les images, les pensées. Tout cela est vécu comme étant de l'intérieur, comme appartenant à l'individu. S'opère en même temps et progressivement une séparation d'avec la mère et toute autre personne à laquelle il s'identifie. L'enfant, en s'opposant, en résistant, en s'affirmant, développe un sens plus aigu de ce qu'il aime, de ce qui le fait différent des autres. La conscience de ses besoins, de ses sentiments, de ses attributs personnels, lui donne la conviction d'une identité distincte. Le développement d'un centre interne et la perception d'une démarcation nette entre soi et le milieu constituent l'essentiel de cette différenciation psychologique.

Ce que nous enseignent les travaux de Witkin, c'est que, faute d'avoir cette identité, faute d'avoir réalisé cette différenciation, certains individus se perdent littéralement dans le champ et confondent ce qui les entoure avec ce qu'ils sont. Bien que le mot d'existence soit l'un des plus abstraits, il renvoie pourtant à une sensation extrêmement concrète liée à la perception du corps. On dirait que l'individu dépendant du champ n'arrive pas à maintenir cette sensation d'exister concrètement, à garder une attention minimale aux tensions internes qui font son espace intime ; il est mal centré, mal logé dans sa gravition, mal appuyé, et ce déséquilibre est l'insécurité elle-même, il est ce désarroi devant la catastrophe, car il ne peut y avoir pire que cette menace constante de ne pas exister, que cette impression diffuse de ne pas être situé.

Nous sommes en train d'examiner une réalité qui est aux confins de l'univers subjectif mais que chacun est en mesure de confirmer ou de contredire.

La difficulté ne consiste pas pour le sujet à sentir qu'il existe. Cela, il le sent très bien lorsqu'il est seul, lorsque son milieu est stable et familier mais que quelque chose d'imprévu survienne, que des gens se présentent, qu'un obstacle surgisse, alors c'est tout l'événement en train d'arriver qui prend la place, qui occupe la conscience, comme si l'individu était incapable d'aucun retrait, d'aucune distanciation, d'aucune réserve de tranquillité, d'aucun fond de bien-être à partir duquel observer le choc actuel. Il réagit dès lors comme si son existence était en cause.

Ce qui est en cause effectivement — et nous voilà ramenés à l'insécurité de catastrophe —, c'est la valeur de l'individu. Il ne vaut pas par lui-même. Il vaut seulement par le résultat qu'il obtient, par l'approbation qu'il gagne, par les biens qu'il possède. Il est souvent dans un état de surmotivation, comme en train de jouer sa raison d'être. Il existe sous condition. Il se trouve dans une sorte de sous-existence. En perdant sa sensation concrète d'exister, il devient victime de sa propre inattention, il agit sous l'effet déformant d'une privation mythique.

Dans le contexte de cette insécurité, l'expérience d'être sa propre mère et son propre père consiste à reconnaître le caractère absolu de son existence et plus justement encore à reconnaître le caractère radical de sa valeur personnelle. Quiconque prend la peine d'envisager sa vie comme un tout, quiconque s'arrête à considérer l'unicité de cette histoire, de cette durée individuelle, ne peut faire autrement que de vouloir prendre possession de son existence de la soustraire au commerce des comparaisons et des conditionnels. L'existence n'est pas à négocier, pas plus d'ailleurs que la valeur intrinsèque de l'individu. Au-delà d'une identité relative donnée par les évaluations d'autrui, il en est une, celle-là inconditionnelle, qui ne relève d'aucun rapport hiérarchique. Et cette valeur en soi d'être une personne pour soi, pour sa propre joie, pour sa propre jouissance d'être, justifie qu'il ne mette pas sa valeur tout entière dans ce qu'il fait.

C'est par l'expérience du silence et de l'inaction qu'une personne fait sa sécurité. Elle découvre que sa valeur et sa sensation concrète d'exister ne dépendent pas de ses actes, de ses actions, de ses performances, ne dépendent pas de sa compétence à comprendre et à résoudre des problèmes. Elle découvre qu'elle vaut par le plaisir qu'il y a à être et qu'aucune situation ne justifie qu'elle sorte de cette zone de repos, ou, mieux encore, il faudrait dire qu'aucune situation ne justifie qu'elle se laisse atteindre jusque dans cette zone de repos. Voilà ce qu'est la sécurité affective : une certitude profonde de valoir en soi qui ne peut être troublée par l'indifférence, par l'agitation ou par l'opposition du milieu. Gaston Bachelard, philosophe du repos et de la rêverie, rappelle une évidence agréable : « La vie commence pour l'homme en dormant bien... L'expérience de l'hostilité du monde et, par conséquent, nos rêves de défense et d'agressivité sont plus tardifs. Dans son germe, toute vie est bien-être. L'être commence par le bien-être [1]. »

Il n'y a pas bien-être plus grand que cette sécurité, que cette conviction que les choses que l'on fait ont

---

1. *La Poétique de l'espace,* P.U.F., 5ᵉ édit., 1967, p. 103.

de l'importance, mais jamais assez importantes pour se réduire à elles. C'est la conviction que l'existence, dans ce qu'elle a de profond et de durable, est silence, inaction, repos, présence à ce qui est. C'est la conviction aussi qu'il y a chez chacun quelque chose d'inaltérable, d'inaccessible de l'extérieur, quelque chose de radical.

La sécurité, c'est d'être bien au chaud dans sa maison quand il y a une bonne tempête de neige ; c'est la flamme d'une chandelle qui s'élève douce, calme et lente, alors qu'au-dehors s'agite le vent des rencontres et des circonstances.

Chapitre 4

L'EXPRESSION :
DE L'ÉTONNEMENT POUR SOI

L'angoisse de la page blanche est bien connue, celle du comédien juste avant que le rideau se lève aussi. L'écrivain et l'artiste ont pu longuement penser à ce qu'ils allaient faire, il y a tout de même pour un moment une sorte d'oubli, une crainte de ne rien pouvoir sortir, de ne trouver en dedans de soi rien qui soutienne les automatismes acquis et répétés. Peut-il se faire confiance, peut-il croire que les mots viendront, que les gestes vont naître de la situation et que les apprentissages antérieurs seront là, disponibles en temps voulu ?

Certaines personnes connaissent ces doutes en permanence et leur inquiétude est telle qu'elles ne peuvent risquer une expression d'elles-mêmes. C'est le thème principal de cet essai que, sous l'effet déformant de la privation, non seulement refuse-t-on de reconnaître les ressources affectives dont on dispose, mais se refuse-t-on l'expérience de s'exprimer et de manifester ce qu'on a d'unique.

Il y a toujours un risque à s'exprimer car, contrairement à ce que plusieurs peuvent croire, l'expression est toujours expression de quelque chose que l'on ne connaît pas. Il est erroné de supposer que l'expression procède d'une conscience anticipée de ce que l'on a à dire. C'est l'inverse : la conscience vient de ce que l'on dit. Quelqu'un communique ce qu'il sait mais exprime ce qu'il pressent. Tomatis a le mot juste quand il dit : « La langue devrait servir à écouler la découverte formulée de ce que l'on pressent, tandis qu'elle n'est utilisée, le plus souvent, que pour traduire uniquement ce que l'on sait, ce que l'on a appris[1]. »

Alors, quel malentendu chez ceux qui ne s'expriment pas, croyant n'avoir rien à dire, et quelle méprise aussi chez ceux qui disent sans s'exprimer — ceux qui communiquent, instruisent et informent. Comme cela est merveilleux, pourtant, quand deux personnes se rencontrent avec l'envie de découvrir, avec l'envie « d'écouler la découverte formulée de ce que l'on pressent », ce que l'on pressent étant ce que l'on sait sans le savoir, ce qui demande à être révélé par le langage, qu'il soit verbal ou non verbal.

Ce qu'il y a d'essentiel dans le phénomène de l'expression, c'est qu'il s'agit de manifester ce qui est subjectif, ce qui est vécu de l'intérieur par celui qui est sujet de sa propre expérience et qui occupe par conséquent un point de vue unique au monde. Cela permet de définir l'expression comme la révélation de ce qui est à travers ce que je suis. L'expression

---

1. *La Libération d'Œdipe*, éditions E.S.F., 1972, p. 65.

s'impose comme un processus de découverte qui dit ce dont les choses ont l'air quand elles passent par moi.

Ainsi comprise, l'expression devient une expérience ouverte à tout ce qui existe, devient une entreprise illimitée où chacun peut expliciter le sens qu'il donne à chaque chose, à chaque événement. Cette présence à soi, indispensable à sa vie affective, se révèle également la condition préalable à toute expression. C'est par cette présence qu'il devient sensible à des impressions, à des intuitions qui appellent de la clarté et de l'évidence. Il explicite de cette manière sa relation à des phénomènes qui le touchent. L'incertitude le met en mouvement, parce que l'incertitude fait partie de lui, parce que l'inconscient qui a forme d'ambiguïté est la conscience qu'il a de ce qu'il ne sait pas.

Ce que nous appelons des intuitions sont des réponses à la réalité telle qu'elle est saisie à notre insu, telle qu'elle est ignorée par le sujet logique et raisonneur qui veut expliquer par ce qu'il connaît. La rationalité nous met en contact avec ce que nous connaissons. Le sentiment nous met en relation avec ce que nous ne connaissons pas.

L'expression trouve son dynamisme dans le besoin de découvrir ce qui se présente comme de l'inconnu prometteur d'une révélation. Alors, il y a ce fil d'Ariane, cette direction que l'on emprunte et qui est en train de conduire là où on n'avait absolument pas idée d'aller. Voilà donc ce qui fonde le plaisir de l'expression : se laisser surprendre, jouer à se perdre pour se retrouver comme jamais, risquer d'être autrement pour être encore plus soi-même.

Christiane Rochefort [1] est l'un des rares écrivains à écrire son aventure d'écrire. Elle raconte comment ses personnages prennent vie et se mettent à exister hors d'elle. Quand un personnage est trop servile et qu'il ne fait qu'être un objet docile dans la main de l'écrivain, alors il est banal et peu intéressant. Il faut qu'il se mette à vivre de sa propre consistance, par un dynamisme originel. Si les personnages commencent à bouger d'eux-mêmes, c'est qu'ils révèlent des éléments qui étaient restés jusque-là implicites dans la situation fictive. Alors ils vont furieusement vite et l'auteur n'a qu'à suivre.

« Ecrire c'est obéir, c'est de la contemplation [2]. »

« Pour moi un livre c'est plutôt un happening, en chambre. Les faits poussent sur le papier... Moi, je suis à la merci de mes mots, de chacun d'eux et du moindre signe [3]. »

« Le premier signe sur la page, il est tombé là dans un instant d'oubli, de semi-abandon, de creux, d'inadvertance. On s'est laissé surprendre. Heureusement [4]. »

« Qu'est-ce qui est arrivé ? Pas grand-chose apparemment. Un mot. Un mot très ordinaire, que j'avais mis comme ça, automatiquement, dans la

---

1. *Journal de printemps,* éditions l'Etincelle, Québec, 1977, Paris, 1969.
2. *Op. cit.,* p. 36.
3. *Op. cit.,* p. 39.
4. *Op. cit.,* p. 42.

première version et dont le sens vient de m'apparaître[1]. »

Quel intérêt aurait en effet un romancier à écrire une histoire dont il connaîtrait tout à l'avance ? C'est chaque fois la petite trouvaille au bout d'une phrase qui l'excite à poursuivre et qui rend l'expérience fascinante. Le peintre n'aurait aucune envie de peindre s'il n'y avait ce curieux mélange du risque et de la surprise, ce tiraillement entre la tentation d'imposer quelque chose à la toile qui soit défini dès le départ et cette sollicitation à laisser les matériaux et les hasards lui suggérer, au détour d'un mouvement, des formes inattendues qui mènent là où il voulait se rendre sans le savoir vraiment.

S'il n'y a pas cette tension, il n'y a pas d'expression. Ce qui est contraire à l'expression, c'est l'exécution pure et simple d'un connu à l'avance. L'expression est une démarche de recherche et de découverte. Elle n'appartient ni à l'expert ni à l'artiste. Elle est le propre de toute personne qui veut approfondir ses rapports avec le monde, qui veut rendre clair à sa conscience l'effet que font les choses et les personnes sur lui. L'homme est un phénoménologue qui s'ignore. Il a le pouvoir d'agrandir tout phénomène intérieur à la dimension de la connaissance. Ce qu'il reçoit de la réalité est soumis à une sorte de retentissement qui élabore la réponse ou la réaction pour ainsi dire de l'individu total à son environnement.

L'individu qui s'exprime est toujours de quelque manière surpris de ce qu'il rend extérieur à lui-

---

1. *Op. cit.*, p. 45.

même, parce qu'il s'exprime avec un moi beaucoup plus grand que son moi conscient et rationnel. Il est surpris, entre autres, des synthèses qui se font presque sans lui, des images qui surgissent denses et comprimées. Il s'étonne de tout ce savoir secret qui nourrit une pensée de plus en plus personnelle et une philosophie de vie de plus en plus convaincante.

L'individu peut s'exprimer par les mots. Il peut le faire par le geste aussi. Arno Stern, l'un des grands éducateurs de l'expression, affirme que « celui qui s'exprime ne pense pas ; il substitue à la dictée de l'intellect l'obéissance du geste aux vibrations de son organisme. Il a " déconnecté " sa main du " circuit intellectuel " et l'a branché directement sur les impulsions de son corps. Ce qu'il trace lui est dicté par ses sensations [1]. » Voilà ce qu'est le caractère totalisant de l'expression : un contact immédiat où les sensations sont littéralement transcrites en mouvements et en couleurs, comme si le dedans dansait avec le dehors sans la manigance d'une chorégraphie calculée, comme ça, en direct, spontanément. L'expression à son meilleur devient oubli, risque et abandon : pour un instant l'absence d'une fonction critique, un rapport actif sans intermédiaire entre la sensation et le geste, la sensation et le mot, la sensation et le médium, une sorte d'accord parfait entre celui qui s'exprime et le contenu qu'il exprime.

L'expression passe tout près d'être la joie ellemême, tellement elle s'accompagne parfois d'un

---

1. *L'Expression*, Delachaux et Niestlé, Neuchâtel, Suisse, 1973, p. 30.

allégement, d'un délestage des soucis et des limitations présumées. Il y a ce beau témoignage de Jean-Paul Fillion :

« Moment drôle, privilégié. Moment fou comme j'en vis peu. Le dessin, après un temps de dur piochage, a fini par sortir assez beau...
« Tout ça pour te dire un peu le *fonne*[1] que j'ai eu rien qu'à me laisser aller à jouer comme un enfant. Rien qu'à me prêter, détendu, disponible, à une action aussi gratuite que celle-là. C'est niaiseux[2] à dire, mais je t'avoue que ça m'a fait du bien et un gros effet secrètement. J'ai respiré. Comme un gars qui découvre le dimanche en pleine semaine ![3] »

Cela dit assez que l'expression a la saveur du contentement, qu'elle réalise un accord qui fait du bien. Elle n'épuise pas, au contraire, elle revigore, elle recrée. Quelqu'un peut difficilement s'exprimer dans la contrainte. Il produit par nécessité mais il ne s'exprime vraiment que par plaisir, que pour son plaisir.

L'expression ne peut se faire sur commande. Elle ne souffre pas qu'on lui dise où aller et quoi faire. Elle s'y refuse. Si quelqu'un veut absolument prévoir, s'il veut éviter l'erreur, s'il exige l'efficacité à tout prix, qu'il paie des tueurs à gages comme la prise de décision, le raisonnement, le traitement de

---

1. Amusement, joie (de « fun » en anglais).
2. Bête.
3. *Saint-André Avellin... le Premier Côté du monde*, Leméac, Montréal, 1975, p. 86.

l'information, le gang des processus cognitifs, mais qu'il ne s'engage pas dans l'expression et qu'il n'essaie pas de soudoyer l'inspiration. Elle est d'une gratuité déconcertante.

Ceux qui ont une certaine facilité à créer et à s'exprimer connaissent le tempérament capricieux de l'inspiration. On a beau bûcher des journées entières pour qu'un problème livre sa solution, rien à faire ! On le laisse tomber carrément et on oublie même qu'il existe. Alors, sans prévenir, en tournant une page de magazine ou en frappant une balle de golf, vlan, la combinaison gagnante tombe du ciel ! Les spécialistes de la créativité ont appelé cela de l'incubation. Celui qui cherche ramasse en réalité tous les ingrédients de la situation et essaie de les mettre en ordre, puis de les défaire, puis de les organiser à nouveau tant qu'une voie nouvelle n'apparaît pas. C'est ici que les fonctions subconscientes agissent, à condition, toutefois, de les laisser faire et de ne commettre aucune indiscrétion. W.J.J. Gordon a même inventé une méthode qu'il appelle synectique [1] dans le but de distraire l'individu de son problème en le faisant s'intéresser à des images, à des comparaisons, à des associations libres.

Ainsi sont nés toutes sortes de petits trucs pour forcer l'inspiration. Ils ont engendré des procédés industriels d'une certaine importance et surtout de nombreux gadgets de mise en marché. Ils n'ont fait toutefois la carrière d'aucun danseur, poète ou cinéaste. Ils n'ont stimulé aucune politique sociale novatrice. Ces techniques favorisent une certaine

---

1. W.J.J. Gordon. *Synectics*, Harper, New York, 1961.

ingéniosité mais n'aideront jamais vraiment quelqu'un à penser en profondeur et à donner un caractère d'œuvre à ses passions. Elles ne vont pas jusque dans l'expérience intérieure de l'expression et de la création. Elles ne touchent pas la question essentielle qui est de comprendre la résistance de l'individu à se laisser aller et à risquer un rapport direct avec ses impulsions et avec ses ressources affectives.

Il y a au cœur de cette résistance une volonté de réussir qui rend la pensée utilitaire et mesquine. Il est intéressant pour chacun d'examiner la place qu'occupe la pensée dans sa vie. Est-elle une source de plaisir ou n'est-elle pas plutôt un instrument de sa promotion sociale ? Pour certains, l'intelligence donne de la sécurité et toute réflexion s'ajoute au capital de la compétence. Elle est le moyen d'avoir de l'ascendance, de l'autorité, du pouvoir. Le pouvoir des mots, le pouvoir des idées et non le plaisir d'exprimer ou le désir sincère de connaître. La pensée donne un statut, de l'influence, de l'estime et du salaire. C'est un outil de travail.

L'intelligence devient donc, avec le progrès de la carrière et de l'insertion sociale, asservie aux ambitions personnelles et aux conditionnements du collectif. Elle sert à se faire une place dans la hiérarchie. C'est ce qu'on pourrait appeler la pensée experte, celle qui ne commet aucune erreur, celle qui détient une information sûre et qui maîtrise bien les langages du système économique. La pensée sert donc à résoudre des problèmes et à remplir des commandes : un livre à lire, un examen à passer, une conférence à faire, une réunion à préparer, une stratégie à mettre au point. La pensée n'est rien d'autre que le domestique de nos visées sociales. C'est à croire que nous haïssons notre pensée pour l'accabler ainsi et la surcharger de nos frustrations et de nos insécurités. Nous la polluons avec nos langages spécialisés. Nous n'avons aucun respect pour elle. Elle ne dispose d'aucune liberté. Elle ne vit pas de son dynamisme. Elle se trouve enfermée dans des concepts conventionnels et appris qui sont rarement les siens. La seule initiative qui lui reste, c'est de sortir la nuit pour rêver un peu, et encore... Certains poussent l'ambition jusqu'à lui passer une commande juste avant de dormir pour qu'elle donne sa réponse au réveil... pas de temps à perdre !

Le fait capital dans cette affaire de résistance, c'est de ne point reconnaître à la pensée une existence propre et un fonctionnement autonome. Alors, quand il faut improviser et inventer, on continue à se comporter d'une manière volontariste, ce qui assurément n'a aucun effet. L'individu devient tendu et inquiet. Il ne connaît de la pensée que ce qu'il en a fait : un programme discipliné d'opérations logiques sur du contenu surtout acquis.

L'acquisition des connaissances ! Ne sent-on pas le côté possessif et agressif de cette acquisition faite à coups d'efforts et de par cœur. Cela évoque une sorte d'insistance sur le réel pour qu'il concède une partie de sa vérité. L'idéologie de la conquête et du combat se tient tout près de l'apprentissage et de nos habitudes intellectuelles.

Mais, qu'arrive-t-il à la pensée lorsqu'elle prend congé de ces urgences d'adaptation ? Que se passe-t-il lorsqu'elle agit de sa propre initiative, lorsqu'elle n'est asservie à aucun but ? Elle se met à parler tout haut, à dire les choses simplement et sans compromission. Elle devient libre de tout contenu. Rien n'est considéré superflu ou insignifiant, rien n'est jugé inopportun, menaçant ou contrariant. La connaissance n'est plus acquise, n'est plus prise d'assaut. Elle est révélée, offerte à qui sait la recevoir. La pensée se révèle comme le soleil se manifeste. Alors, celui qui s'exprime connaît l'inspiration. Il cesse de penser et devient présent à la pensée qui se fait en quelque sorte sans lui. En perdant ses prétentions à connaître par lui-même, il se fait un allié sûr.

L'inspiration passe par l'acceptation profondément ressentie que la connaissance vient de soi et vient à soi, sans jamais réellement venir par soi. Einstein rapporte que les choses ont changé pour lui quand il a cessé de vouloir imposer son ordre au chaos de l'univers et qu'il a plutôt laissé l'univers mettre de l'ordre dans le chaos de son esprit.

Henry Miller, un passionné de l'expression, adopte la même attitude :

« J'ai découvert de plus en plus que la bonne manière pour moi — pas pour tout le monde, mais pour moi qui ne suis pas né peintre, qui n'avais pas de talent et qui ai encore beaucoup de manques — c'est de suivre l'instinct, de laisser le pinceau décider ce que je vais faire.

« Même chose quand j'écris. Je n'essaie pas de penser ; j'essaie de découvrir ce qu'il peut y avoir en moi qui attende cette révélation[1]. »

---

1. *Ma Vie et moi*, trad. par G. Belmont, éd. Stock, 1972, p. 125.

Suivre l'instinct suppose beaucoup plus qu'une méthode d'expression ou de créativité. Cela engage une philosophie de vie. Celui qui résiste à l'expérience de s'abandonner mise constamment sur ce qu'il connaît. Cela explique pourquoi il veut tant diriger sa pensée. Il veut qu'elle aille dans le connu mais le connu est une impasse; il ne peut pas inventer ni improviser.

Celui qui résiste croit sincèrement que la rationalité est le seul moyen d'être en contact avec le réel. Il croit naïvement que la réalité, c'est ce qu'il en sait. Pourtant, la réalité est là, que nous la connaissions ou que nous ne la connaissions pas. Nous y réagissons, nous y vivons, nous l'habitons et elle nous habite. Nous essayons de nous comporter vis-à-vis d'elle à partir de ce que nous en connaissons objectivement mais nous ne pouvons ignorer certaines impressions diffuses, certains signes annonciateurs qui peuvent mettre sur la voie de la découverte, qui peuvent nous faire soupçonner des aspects encore inconnus de la réalité.

Et c'est en cela que la subjectivité, ou ce qu'on appelle le sens émotionnel, est source d'une connaissance révélée. Ce n'est pas par le culte exclusif de la rationalité que celui qui cherche a le bonheur de trouver. La rationalité est constituée de ce qui est connu mais elle ne fait pas le savoir. Elle n'est que le résultat de nos découvertes; elle n'en est pas la cause. Elle est éminemment importante dans notre adaptation à l'organisation sociale et dans le développement de la technologie mais elle n'a pratiquement rien à voir avec l'expression en tant que révélation.

Nous sommes au milieu d'un réel que nous connaissons à peine et que nous connaissons sans le savoir. C'est par le moyen privilégié de l'expression qu'il se manifeste et s'explicite. Nous sommes victimes de nos distinctions entre affectivité et intelligence. Il y a une affectivité qui connaît, comme nous le verrons au prochain chapitre, il y a une intelligence qui aime.

Peut-on aller plus loin dans la saisie de ce qu'est l'expression? Pour tout dire, l'inspiration a-t-elle son secret? Y-a-t-il quelque chose d'essentiel à savoir qui nous la rendrait accessible?

Ceux qui sont reconnus pour leur facilité d'expression répugnent à répondre à pareille enquête. Ils ne veulent rien savoir des processus engagés dans la connaissance révélée. Cela leur fait peur. Toute explication risque de rompre le charme et de tarir la source. Il y a quelque chose de sacrilège à vouloir comprendre les mécanismes de création. Cela les embarrasse terriblement. Ainsi ce témoignage :

« J'espère pouvoir te rencontrer un jour. Je crois que cela ne devrait pas être difficile si le ciel y met autant de zèle que pour la première fois. Parlerons-nous de l'inspiration? C'est à voir. J'ai toujours un peu de réticence à parler de ces choses, tant elles me semblent secrètes, fragiles et impalpables. Il n'y a qu'à considérer la nouveauté extraordinaire avec laquelle elle se présente de fois en fois et d'un artiste à l'autre pour s'en convaincre. J'aurais beau dire, il faut se perdre pour la trouver, cela me la donne-t-il? Certes, il faut séduire l'inspiration, mais je ne crois pas qu'il existe rien de tel qu'un ensemble de choses à faire pour y parvenir. »

C'est précisément cette attitude d'humilité et d'attente qui constitue l'essentiel du phénomène créateur. Quiconque cherche un contrôle sur l'inspiration se condamne à ne jamais la connaître. Elle est le contraire absolu de l'appropriation. Elle requiert uniquement de la non-résistance. Alors elle devient irrésistible : on n'a qu'à la suivre. Elle précède ou elle pousse mais jamais elle ne se fait mener, d'aucune manière.

Ce respect envers ses propres ressources créatrices devient possible lorsque l'individu en arrive à se concevoir comme un mystère pour lui-même. Nous sommes enfin au cœur de la question. C'est l'identité de la personne qui détermine sa capacité d'expression.

L'expression suppose la dissolution d'une identité étroite où le sujet se considère comme un être rationnel et volontaire. S'il en vient à réaliser combien il est beaucoup plus que cela, comment il est en contact avec une réalité qu'il ignore, comment il est un projet qui se fait sans trop savoir à l'avance ce qu'il devient, alors il cesse de voir l'existence comme un problème à résoudre et l'entrevoit davantage comme une expérience à vivre. Il cesse de tourner en rond et de se lover dans une conscience de conscience sans cesse en train de comprendre et d'expliquer ses moindres impulsions. L'expression est ce par quoi l'individu échappe à l'encerclement introspectif de l'œil qui veut se voir, de l'estomac qui veut se digérer, du sujet qui se veut l'objet pour lui-même, qui s'examine, s'évalue et se travaille.

C'est par l'expression que l'individu résout l'impasse de s'arrêter pour se voir en mouvement, qu'il se projette hors de lui et qu'il se surprend lui-même. Celui qui s'exprime se rend disponible aux moindres signes. Miller dit encore :

« Moi, j'écume le surplus, pour ainsi dire, et le lendemain, je repars de ce qui me restait. Naturellement, très souvent je dévie. Je pense que je vais me lancer sur un certain sujet, et brusquement, un autre thème surgit, que je me mets à suivre. Mais le principal est que l'eau reste vive, et le courant, ininterrompu. Maintenir le jaillissement, telle est ma pensée primordiale [1]. »

L'individu est la principale expression. Il est une création qui se fait à travers les événements et qui évolue avec les indices qu'il rencontre. L'homme est un projet libre qui n'est pas donné à l'avance et qui apprend son devenir en même temps qu'il devient. Il n'a pas à décider une fois pour toutes de ce qu'il va être. Il le découvre au fur et à mesure qu'il avance. C'est en risquant telle action donnée, c'est en portant attention à telle préférence, c'est en faisant tel choix que ses intentions tacites deviennent plus évidentes. Il est un projet dans lequel il se surprend.

Ceux qui se définissent étroitement par leur pouvoir de raisonnement et de décision comprennent difficilement le caractère improvisé et continu à la fois du devenir humain. Certains croient sincèrement qu'une vie doit se décider à l'avance et que la

---

1. Henry Miller, *op. cit.*, p. 52.

direction doit être maintenue coûte que coûte, tout cela, avec le postulat qu'à s'en remettre à leur subjectivité, leur existence serait anarchique. Pourtant des expérimentations importantes faites en psychologie de la perception[1] démontrent que l'individu participe activement à la saisie du réel en sélectionnant à un niveau qui n'est pas conscient les stimuli qui sont en rapport avec ses besoins et ses valeurs. Cela signifie deux choses. Premièrement, que l'être humain sait d'abord ce qu'il veut d'une manière implicite ; ce qu'il veut n'origine pas de sa conscience, il devient conscient de ce qu'il veut. Deuxièmement, que les stimuli que l'individu appréhende se révèlent appartenir à une même valeur, à une même finalité et qu'ils garantissent à celui qui sait leur obéir de la cohérence et de la continuité.

Il est remarquable en effet que ceux qui s'expriment et suivent leur « instinct » en viennent à se caractériser au point que leur pensée, leur sentiment et leur manière d'être se différencient des autres, mais acquièrent en même temps une durée et une fermeté qui dépassent les adhésions de l'heure. L'expression n'est pas anarchie. Au contraire, elle est la vraie cohérence, la continuité retrouvée.

L'expression et la création se réalisent à travers une vie qui est elle-même un projet qui se fait. Créer, c'est proprement obéir à des signes qui n'ont rien de contraignant et d'inéluctable. C'est obéir librement. La liberté est dans le devenir qui se fait au fur et à

---

1. *Cf.* R. Mucchielli, *Introduction à la psychologie structurale,* Dessart, 1972.

mesure de son obéissance ; elle est dans l'attitude de laisser sa propre vie révéler son projet. Quelqu'un raconte un rêve particulièrement significatif à ce sujet :

« Je commence un flirt avec une femme qui passe dans la rue. Je l'accompagne chez elle. Elle doit passer chez l'épicier remettre des bouteilles vides. Elle me demande de conduire sa voiture. Cela m'intrigue. Elle ouvre la portière arrière. Cela m'étonne. Comme j'allais lui demander pourquoi elle était là derrière moi, elle passe par-dessus le dossier et bascule dans mes bras. »

Ce rêve est remarquable à plusieurs points de vue. D'abord, il pourrait être considéré comme une allégorie de ce qu'est l'inspiration : c'est la femme qu'on veut séduire mais qui prend finalement la situation en main et, tout en laissant le volant, elle n'en est pas moins dans sa propre voiture. Il pourrait aussi être un bon exemple de la surprise qui accompagne le risque de s'exprimer. Celui qui croit conduire ne sait jamais où cela va mener. Ce qui s'avère plus significatif encore, c'est que le rêveur est l'auteur de son rêve. Cela veut dire qu'il arrive à créer une situation dans laquelle il joue à ne pas savoir ce qui se passe et pourtant il l'invente de toutes pièces. Notre existence ne serait-elle pas un jeu inventé par nous-mêmes depuis l'origine et que nous découvrons avec étonnement à mesure qu'il se joue ?

Cela illustre à merveille le paradoxe d'une vie en même temps voulue et imprévisible. C'est par l'action et par l'expression sous toutes ses formes que chacun peut s'insérer dans le mouvement de son propre projet. Autrement, il est condamné à jouer des rôles imposés et des scénarios appris qui ont l'inconvénient de l'éloigner de lui-même et surtout de comporter beaucoup d'ennuis. Chaque fois qu'il s'attarde à quelque chose, chaque fois qu'une image le retient, qu'une personne l'intéresse, qu'une chanson s'impose, il est en train de surprendre son projet d'être. En se percevant comme un mystère pour lui-même, il devient sensible à des signes et à des mots évocateurs. Chaque fois qu'il ouvre un livre et qu'il souligne une phrase, cette phrase parle de lui, elle lui annonce une conviction intime encore mal formulée, elle soulève une question confusément présente depuis toujours, elle éveille une solution au bord d'être saisie. La vie est pleine de soulignés, des soulignés qui attendent d'être transformés en intentions claires.

Celui qui croit se connaître n'a pas envie de s'exprimer, comme celui qui croit savoir n'a pas envie d'apprendre. C'est quand quelqu'un se sent rempli d'inconnu qu'il éprouve le besoin de se révéler : il doit oser le vague.

L'expression et le ressentiment

Sous l'effet déformant de la privation, l'individu refuse trop souvent l'expérience de s'exprimer. Mais que se passe-t-il quand il oublie son manque et qu'il risque l'hypothèse d'avoir quelque chose à donner ?

En particulier, quel effet exerce l'expression sur son ressentiment ?

Celui qui s'exprime découvre qu'il est porteur d'une vérité qu'il connaît à peine. Il retient ainsi dans son expérience personnelle des comprimés de sens qui veulent se révéler.

« Quand on écrit et que cela vient vraiment, tout doit couler comme l'eau du robinet. Plus longtemps je garde en moi le matériau, plus il devient pareil à un diamant. Tel est l'effet de la compression [1]. »

Nous sommes loin du vide puisqu'il s'agit de retenir assez pour que l'eau jaillisse. Ce n'est pas un hasard si Miller associe l'inspiration à une sorte de débordement. L'expression est ressentie par plusieurs comme une expérience de plénitude ou, mieux encore, de surabondance : une poussée intérieure où le mot et le geste deviennent soutenus et déposés. L'inspiration appartient à un monde informe. Elle apparaît comme une eau qui coule, comme une masse océanique profonde, inépuisable. Alors, celui qui trouve pareille veine se sent privilégié, car il ne peut rien faire pour la posséder. Il ne peut d'aucune manière la commander et pourtant elle offre. Elle procure un bonheur d'aisance et de gratuité. Celui pour qui tout était dû se surprend à être heureux sans le mériter. C'est proprement une expérience première, celle d'être nourri à la source et d'être maternellement porté. Il expérimente la

---

1. Henry Miller, *op. cit.*, p. 50.

générosité de la vie. Elle cesse d'être privative et devient nourrissante pour qui sait se rendre disponible.

Jamais les fleurs du temps d'aimer
n'ont poussé dans un cœur fermé.
La nuit, le jour, l'été, l'hiver,
il faut dormir le cœur ouvert[1].

Il est difficile, pour ne pas dire incompatible, de s'exprimer d'abondance et d'entretenir du ressentiment. Il serait plus juste d'affirmer que l'expression a le pouvoir de dénouer le ressentiment et de libérer l'individu des pensées rancunières dans lesquelles il s'enferme. C'est un fait reconnu que ceux qui vivent des épreuves pénibles et des chagrins profonds sentent le besoin, pour les dépasser, de les rendre en quelque sorte instructifs pour les autres. La violence ressentie parvient à devenir, par l'expression, exorcisée de sa furieuse nécessité de détruire. Elle s'intègre à la maturation personnelle en devenant un dynamisme créateur. Au lieu de faire pitié, ces personnes se donnent des raisons d'être fières et dignes, la principale étant de loin d'avoir survécu à l'amertume et à l'absurdité.

L'expression et la quête d'absolu

Cette quête comporte une certaine désespérance, et cela sur deux plans. Il y a en premier lieu le désir

---

1. Gilles Vigneault, *la Branche à la fenêtre*, chanson.

qui se cherche un objet et qui ne trouve rien dans le réel qui soit satisfaisant. Il y a en second lieu la volonté qui se fait accroire qu'elle a des raisons de vivre alors qu'elle n'est liée à aucun mouvement vital véritablement ressenti. En quoi l'expression peut-elle apporter du contentement à l'un et du désir à l'autre ?

L'absolu du désir. Il existe une expérience toute simple que chacun peut faire pour soi. Elle consiste à décrire par l'écriture, par la peinture ou par tout autre moyen d'expression, ce qui constitue son décor quotidien et ce qui caractérise les personnes qui l'habitent. Le simple fait de nommer le réel tout autour de soi le situe dans une autre dimension. Cela donne un effet qui ressemble à l'impression produite par la caméra lorsqu'elle isole un élément quelconque et le transforme en une sorte de grandiose. La maison que l'on habille de mots, l'arbre que l'on dessine ne peuvent faire autrement que d'exister d'une manière plus intense. L'expression donne un surplus d'existence à ce qui existe déjà. L'enfance racontée est une enfance agrandie, presque une légende. Le paysage replacé point par point ou à grands traits sur la surface d'une toile occupe à jamais l'espace intérieur du peintre. L'émotion d'un visage fixée sur la photo dépasse de loin l'occasion qui l'a provoquée. Les amoureux qui n'écrivent pas leur amour, ne le disent ni ne le chantent, se privent d'un temps subjectif infini. Les moments de notre vie qui durent encore, qui rendent la résonance de leur intensité première, ont été des moments d'expression totale.

C'est dire assez que l'expression donne un caractère défini aux choses. Plus précisément, il faut dire que, par l'expression, l'individu participe plus entièrement à ce qu'il vit en donnant à son expérience une attention inconditionnelle. Ce qui est objet d'expression devient promu au rang de ce qui compte pour lui. Celui qui est en quête d'absolu découvre qu'il a le pouvoir, par l'expression, de définir la réalité avec le meilleur de lui-même.

Nous avons vu comment le désenchantement de l'idéaliste provient de sa difficulté à éprouver le plaisir des événements concrets. Il ne sait pas s'attarder ni s'attacher. C'est ce qui le fait passer d'un objet à l'autre sans jamais le contentement d'avoir trouvé. S'il oublie que la réalité manque et s'il risque l'hypothèse qu'elle cache quelque chose d'essentiel, alors il retient sa fuite en avant et se rend plus disponible. S'il s'applique à nommer, à chanter, à danser, à peindre, peu importe, ce qu'il vit, ce qu'il rencontre, ce qu'il observe, il ne peut qu'en éprouver une sensation plus étroite avec la réalité et avec sa manière propre de la percevoir. Elle affine son contact et surtout lui fait pressentir, ne serait-ce qu'un instant, que l'objet de sa recherche ne peut être ailleurs qu'en lui.

L'expression ne se limite pas à être transcription transformée de la réalité. Elle concerne aussi l'invention du possible, et qui mieux que l'idéaliste a besoin de ce qui n'est pas encore? L'expression donne accès à des états intérieurs nouveaux et parfois extrêmes. Ainsi, ce comédien qui parvient à ressentir dans la situation de son personnage une sordidité et une vulgarité impossibles dans les comportements qui sont les siens. Ainsi, cet écrivain qui réussit à créer une dramatique qui concerne des gens tout à fait différents de lui. Il peut en arriver à saisir des nuances affectives qui appartiennent à des femmes, alors qu'il est homme, et inversement. Le seul fait, au théâtre, de poser le corps autrement fait découvrir des impressions qui agrandissent le répertoire de vie. Une personne en apparence chétive peut rendre en sculpture, en poésie, en musique, une envergure et une force intérieure peu commune.

La création est le lieu privilégié des états extrêmes. Celui qui est en quête d'absolu a la possibilité de projeter dans l'ordre de l'imaginaire l'extravagance de ses désirs et la souffrance de son monde tragique. Il importe de souligner pourtant qu'il s'agit d'une création et non pas d'une dissociation libre ou d'un délire qui emporte le sujet exalté. Entre la libération hystérique d'une émotion impossible à contenir et la transposition de cet absolu dans une discipline donnée et à l'intérieur de certaines règles, il y a une différence pour ainsi dire décisive. L'inspiration se ramène à un élan initial, à une intuition qui « implose » en quelque sorte l'œuvre à venir. Encore faut-il que s'intègre à cette impulsion originelle un travail d'intelligence qui assure la construction interne et l'ajustement social du produit à finir et à communiquer. Ainsi, l'expression, dont le contenu appartient par excellence au domaine du pur désir et des rêves impossibles, comporte dans son processus des limitations très réelles et des contingences bien concrètes. Celui qui s'exprime, au sens vraiment d'une expression qui comporte son achèvement, appartient de fait à un monde de réalité. L'utopiste, c'est celui qui ne sait pas exprimer son utopie. Celui qui parvient à le faire est un réaliste du mot, de l'image, du geste, du rythme et de la communication. Il n'y a pas que la légende des clowns tristes. Ceux qui savent faire rêver besognent beaucoup.

L'absolu de la volonté. La difficulté avec le volontariste, c'est qu'il place toujours la tête en tête. Elle précède ses comportements au point qu'il est un infirme de la spontanéité. Il ignore qu'il puisse être fait d'autre chose que d'une raison qui décide de ce qu'il doit faire. C'est pourquoi la tête doit avoir pour lui une longueur d'avance sur ses réactions. Si un mouvement intérieur s'amorce, il l'arrête immédiatement pour le comprendre. Il ne peut le laisser aller sans savoir de quoi il est fait. L'explication remplace l'expression. Si la présence d'une femme commence à le fasciner, alors il interrompt le charme en tentant d'expliquer cette fascination.

L'expression constitue pour le volontariste, au niveau de sa subjectivité intime, quelque chose qui ressemble à un danger de mort. Il y a pour lui un risque terrible de se perdre et d'être dépassé. Plus que quiconque, il a besoin de s'apprivoiser en risquant des moments très courts de spontanéité. Il a peur de l'inspiration comme il a peur du plaisir. Nous pouvons avancer l'hypothèse d'un rapport entre l'inspiration et l'abandon amoureux. L'un et l'autre font appel à une sorte de dissolution du moi. Georges Bataille livre ainsi sa réflexion :

« Toute la mise en œuvre de l'érotisme a pour fin d'atteindre l'être au plus intime, au point où le cœur manque. Le passage de l'état normal à celui de désir érotique suppose en nous la dissolution relative de l'être constitué[1]... »

Dans l'inspiration et l'érotisme, il y a pour un temps une voie intérieure qui dit « je me perds » et c'est dans cet abandon que la conscience, consciente d'elle-même, que l'esprit rempli d'esprit, se dissout en une dépossession unifiante où rien de l'individu n'est séparé, où toute la personne se confond au mouvement vital qui l'anime.

Il y a dans l'érotisme une forme d'interdit et de transgression qui se retrouve aussi dans l'inspiration. C'est précisément ce caractère qui constitue l'essentiel de la connaissance révélée : quelque chose qui est caché, qui se dérobe à l'acte volontaire et qui offre pourtant son secret. Il s'ensuit une impression d'être en état de privilège, comme l'est tout amoureux.

Ne cherche-t-on pas à créer là où il est possible d'aimer ? Pourquoi cette recherche des lieux naturels, lorsqu'il s'agit de retrouver ses espoirs, de démarrer des projets et de traverser une impasse ? Il existe des liens certains entre la création et la sexualité. Ne rappelons pas les travaux de Freud. Mentionnons seulement l'habitude que nous avons de désigner l'activité de dé-couverte et d'ex-pression en termes de libido. Cela n'a pas échappé à l'analyse de Annie Leclerc[2] qui montre combien la pensée est sexuée et comment le mot d'homme, au sens universel, n'inclut pas la femme. La philosophie de l'homme, son

---

1. Georges Bataille, *l'Erotisme*, collection 10-18, 1965, p. 22.
2. *Parole de femme*, Bernard Grasset, Paris, 1974.

action sur le milieu, sa civilisation imposent partout son expérience intime de la sexualité. Ainsi, l'existentialisme est la conception du pro-jet hors de soi, de l'émergence, du jaillissement. Peut-être une femme physicien nous dira-t-elle un jour comment l'univers, en plus d'être une explosion formidable, est aussi l'encerclement de tout ce qui paraît se perdre !

L'expression et l'exclusion sociale

Nous avons longuement analysé cette forme de privation où l'individu se cherche une place pour exister. Il est plus ou moins forcé de se conformer à la société, s'il veut éviter d'être seul et sans appui. Etre isolé et fort, ou faible et avec les autres, voilà le piège dans lequel risque de s'enfermer celui qui se sent rejeté. De quelle façon l'expression peut-elle influencer les relations de l'individu avec son entourage ? Il y a lieu de noter d'abord que l'expression inverse le rapport sujet-milieu. Au lieu que l'environnement prenne l'initiative de stimuler l'individu, ce dernier cesse d'être un être de réaction et devient un être intentionnel qui a des motifs d'action et de création. Cela produit une ponctuation qui contredit le conditionnement et dissipe l'angoisse. Celui qui s'exprime cesse d'expérimenter l'extérieur comme envahissant et aliénant. Il se perçoit davantage comme un centre de conscience et de motivation qui dirige ses pensées et ses conduites vers les autres qui, cette fois, deviennent ceux qui réagissent. Cela rétablit une meilleure répartition de l'initiative et de la passivité.

C'est la phénoménologie du préfixe *ex* qu'il nous faudrait faire. Il importe d'insister sur le mouvement engagé dans l'*ex*. Ce mouvement désigne l'expansion que prend la personne et la sécurité d'exposition qu'elle acquiert.

Imaginons quelqu'un en train de faire un discours et demandons-nous sous quelles conditions l'expression de celui-ci a les meilleures chances d'être efficace. S'il est seulement attentif à son auditoire, il risque de perdre sa propre direction et surtout de perturber son rythme d'exposition. Au lieu d'être là en pleine possession de ses moyens, il en viendra presque à s'excuser de prendre la parole. Ce qu'il veut communiquer va se perdre en gestes confus et en phrases incohérentes. Si, par ailleurs, il est conscient de lui-même à ce point qu'il ne voit pas les gens à qui il s'adresse, il sera entier dans son message, tout en étant cependant absent du lieu qu'il occupe. Il n'aura pas le contact, il ne sentira pas à quel moment il se rapproche et à quel moment il s'éloigne d'eux, quand il est reçu, quand il est difficilement compris. Il ne sait pas mettre à profit les réactions d'un public qui ne demande qu'à interagir avec lui.

Cette première constatation rappelle le caractère à la fois intérieur et social de l'expression. Celui qui s'exprime veut, de quelque manière, être reçu, compris, connu. L'aspect public de l'expression constitue certes un deuxième temps, mais un temps important tout de même, qui ajoute au plaisir de l'expression celui de la reconnaissance.

En revanche, celui qui désire cette reconnaissance, avant d'avoir quelque chose à dire, va probablement s'égarer dans les lieux communs. Comme dans bien d'autres comportements humains, le paradoxe de l'expression efficace, c'est de la retenir assez longtemps pour qu'elle entraîne un déploiement quasi irrésistible chez celui qui s'exprime et une adhésion de l'intérieur chez ceux qui en sont les témoins. Si l'expression est trop précipitée, elle va laisser les autres en dehors de l'expérience intérieure. Le milieu ne pourra trouver la pause où insérer sa participation et sa propre recherche. L'émotion qui inspire doit donc ne pas être trop intempestive ou, du moins, elle ne doit pas être liquidée sous l'effet du désemparement. Le dynamisme de l'expression se trouve précisément dans le balisage de ce qui est spontané. Cette maîtrise facilite le déroulement de l'action et l'élaboration du contenu. En un sens, il est juste de dire que la principale aptitude à l'expression est la tolérance de la tension émotive.

Si l'expression, par ailleurs, ne rend aucune intensité, elle ne saura intéresser qui que ce soit car, finalement, c'est lui-même que le spectateur veut contempler dans l'œuvre qu'il rencontre. Il y a fort à parier que les expressions hermétiques relèvent plus de la pensée que de l'émotion. Faut-il rappeler, comme l'a souligné Wallon, le caractère contagieux et communicatif de l'émotion ? Ainsi, celui qui veut vraiment communiquer et rejoindre les autres doit prendre le détour direct de sa propre émotivité, à condition de la moduler assez pour qu'elle engendre une expression efficace et soutenue.

En reprenant l'exemple du discours, il nous est possible de formuler deux conditions indispensables à l'expression. Premièrement, elle nécessite la conscience concomitante de l'individu et de son milieu. Deuxièmement, elle implique d'être quelque part entre l'émotion et la pensée. Or, il se trouve qu'à y regarder de près, ce sont là justement les caractéristiques déjà étudiées de la sécurité affective. Il se trouve aussi que la sécurité est le manque principal de celui qui se sent exclu. Tout converge à montrer que l'expérience réussie de l'expression contribue au développement psychologique de l'individu et spécialement à la consolidation de sa sécurité.

Il en faut, en effet, de la sécurité pour laisser se faire à son rythme et dans son accomplissement une expression qui demande un bon temps d'exposition. Comment décrire ce point culminant où celui qui s'exprime disparaît sous la conviction de sa parole, de son mouvement ou de sa musique ? Il est soumis au pouvoir magique de sa propre séduction. C'est un état de réalisation où la valeur de ce qu'il fait compte beaucoup plus que la réussite à laquelle il est promis. L'individu, dès lors, cesse d'être perturbé par des préoccupations narcissiques et devient plus sensible à ses véritables impulsions. Il s'appartient, et cette appartenance le conduit à plus d'audace. L'affirmation de ce qu'il veut et de ce dont il est capable prend la couleur de l'engagement.

Celui qui s'exprime, en délestant peu à peu le souci de sa propre image, découvre les causes qui le mobilisent. Toute expression comporte minimalement la valorisation d'un aspect choisi et privilégié de l'existence. C'est en ce sens qu'il est question d'une sorte d'expansion de la personne. Elle affine ses choix et ses prises sur le réel. Elle grandit par ses

contacts multipliés avec l'environnement. Voilà ce
que provoque l'expression chez le sujet exclu et
rejeté : une transformation radicale dans la conception qu'il a de son milieu.

Il comprend enfin que son milieu est ou peut être
une source de plaisir pour lui. Il l'avait toujours
perçu comme le terme qui agit sur lui, qui exige, qui
évalue. Ce milieu était essentiellement privatif, alors
qu'il devient maintenant nourrissant et stimulant.
L'individu se meut dans son environnement avec
l'envie de s'en servir. Peut-on saisir de l'intérieur
l'excitation de celui qui découvre son pouvoir d'oser
dire et d'oser faire ? Il a comme traversé un mur. Son
espace s'étend à mesure que ses gestes se font plus
amples. Les autres l'accueillent en proportion de
l'intérêt qu'il met à les utiliser. Il ressent autrement
ses motivations à rencontrer les gens. La présence
d'autrui avait autrefois quelque chose d'éprouvant.
Elle mettait en cause sa valeur personnelle et son
besoin d'être aimé. Cela se faisait toujours dans le
sens unique d'être tiré hors de soi et d'être un objet
extérieur. En même temps que s'apaise cette crainte
névrotique, apparaît l'envie d'utiliser l'entourage.

L'utilité dont il s'agit n'a rien à voir avec les
rapports qu'on dit fonctionnels et dictés par les
rôles. Elle n'est pas une manœuvre. Elle est utilisa-
tion jouissante d'autrui. L'autre devient une source
importante de plaisir.

L'exclusion sociale conditionne précisément l'individu ou bien à s'arranger seul ou bien à taire ses
besoins dans ses rapports avec les autres. Il ne lui
vient pas à l'idée que la société est aussi le lieu de la
diversité et de l'abondance. Il n'a donc pas pris la
peine de considérer les autres en tant que ressour-

136

ces, en tant qu'ils sont riches d'apprentissage à partager, de projets à entreprendre. L'autre n'est plus un pourvoyeur d'image, il est un être concret avec qui travailler et s'amuser.

Chacun peut à l'inverse s'appliquer l'interrogation : n'y a-t-il pas plus sympathique qu'une personne qui sait m'utiliser, qui sait me faire sentir utile d'être ce que je suis, d'avoir ce que j'ai, de savoir ce que je sais, qui sait profiter de mes enthousiasmes, qui sait mettre l'attente qu'il faut dans nos partages pour que je donne vraiment ce que j'ai ?

L'expression et l'invalidation personnelle

La personne qui s'invalide en dépréciant ses possibilités retarde indéfiniment le moment de s'exprimer. Elle se prépare à l'expression en apprenant des règles et en appliquant des techniques. Elle a le souci de bien faire et n'échappe pas au piège répandu de l'esthétisme.

Combien de personnes se refusent le plaisir de peindre, de danser, de mimer ou d'écrire sous prétexte qu'elles ne sont pas bonnes, qu'elles n'ont pas le savoir-faire. Alors on s'abstient ou bien on s'astreint à l'acquisition de préalables.

Pourquoi la personne qui veut s'exprimer ne commencerait-elle pas par utiliser ce dont elle est capable, et le désir de rendre l'expression plus efficace lui fera connaître par la suite, au fur et à mesure, les nécessités de la discipline. Si quelqu'un ne peut rendre la perspective, il peut du moins dessiner des poissons ou essayer des couleurs sans exiger des formes précises.

On définit l'expression par le produit à montrer, car il faut bien justifier l'activité par un résultat matériel valable. Que quelqu'un essaie de composer sa musique, il aura perdu son temps s'il n'obtient pas une pièce à jouer. Voilà la véritable résistance : il faut justifier l'expression ; autrement, elle est d'une gratuité insupportable pour notre esprit utilitaire et notre conscience coupable. Arno Stern fait observer, non sans un certain cynisme, l'effet sans doute le plus important qu'ont ses ateliers sur les enfants qui les fréquentent :

« Elevés dans une société qui n'admet aucune gratuité, ils ont l'habitude de monnayer leur effort, de réclamer la récompense ou l'appréciation pour leurs services. Il est inutile de dire que l'atelier transforme les mœurs et que, libérés de l'immoralité de la possession, celui qui s'exprime appartient à une autre société. »

Il n'appartient pas au monde de la production ni même à celui de la stylisation. Il participe au projet pourtant légitime de la joie de vivre. Il y a cette conclusion admirable de René Dubos[1] :

---

1. *Choisir d'être humain*, Médiations, Denoël-Gonthier, Paris, 1974, p. 204.

« Les membres les plus utiles du corps social ne sont pas nécessairement ceux qui augmentent la production ou la connaissance, mais ceux qui contribuent le plus à la joie de vivre. »

Celui qui a l'habitude du perfectionnisme peut trouver dans l'expérience de s'exprimer un plaisir, gênant d'abord, mais de plus en plus libérateur. Il découvre que son produit n'a pas à être beau, n'a pas à être consommé par d'autres, qu'il n'a pas à être justifié. Il n'est que la conséquence d'une activité ludique. Quelle école de formation pour celui qui s'invalide, que d'expérimenter de temps à autre des moments de pure re-création qui échappent au jugement des autres et surtout au sien !

Le bienfait le plus important de l'expression n'est pas tant dans l'estime accrue de sa propre valeur, du fait d'un résultat encourageant, mais plutôt dans la distance qu'elle donne par rapport à la préoccupation de valoir. Celui qui sincèrement s'abandonne à l'expression pour le plaisir qu'elle comporte, affirme d'une façon très vécue que sa raison d'être est de jouir de son être sans devoir le justifier. Il place son existence au-dessus de tout autre bien. Etre est son bien, son bien-être.

En transgressant une sorte de loi indéfinie qui l'obligeait implicitement à soumettre sa vie à une quelconque autorité mal identifiée, il n'est plus l'enfant obéissant parfaitement soumis à l'idéal de perfection. Il lui est possible, dès lors, d'être à l'aise dans l'inachevé et dans l'extravagant. Il faudrait faire ici l'éloge de l'erreur, de l'insouciance et de la fantaisie en tant que promoteurs de l'existence pour elle-même avec ce que cela signifie de liberté. L'existence est jouissance d'être.

Est-ce à dire que l'expression a toutes les vertus ? Pourtant, que d'artistes ont connu misère et malheur ! Comment, dès lors, l'expression si bienfaisante a-t-elle pu avoir si peu d'effet sur eux ? L'objection provient en bonne partie d'une confusion fréquente entre l'expression et l'art. L'art implique un talent et un degré d'efficacité que ne requiert pas comme tel le besoin d'expression. Alors que l'expression se situe dans un contexte strictement psychologique, l'art fait partie de la réalité sociale du travail et de la reconnaissance. Gagner son pain à s'exprimer entraîne des pressions qui deviennent, au-delà d'un certain seuil, incompatibles avec la nécessité d'abandon et avec l'inspiration.

D'autre part, on ne saurait juger si un résultat provient d'une véritable expression ou s'il n'est que l'application logique d'un système ou d'une technique. C'est pourquoi nous préférons considérer l'expression comme un phénomène subjectif d'étonnement pour soi. Seul l'individu concerné peut savoir s'il s'agit pour lui d'une expérience spontanée qui le surprend et le rend plus estimable à son point de vue. Il est clair enfin, par rapport au sentiment de privation, que l'expression contribue largement à transformer l'évaluation négative que l'individu fait de lui et de son existence en une considération positive qui inspire et qui imprime un mouvement de confiance.

Chapitre 5

LE MERVEILLEUX QUOTIDIEN
OU L'ÉTAT D'INCONNAISSANCE

« *Je me mettrai un jour à travailler vraiment et mon premier souci sera de surveiller la forme des nuages.* »

Gilles VIGNEAULT [1].

Existe-t-il un merveilleux quotidien qui n'exige pas des événements exceptionnels ? La question traduit le besoin d'échapper à l'ennui. Elle implique aussi que le caractère monotone de l'existence est surtout attribuable à la répétition des choses.

Le sentiment de privation, nous l'avons vu, enferme l'individu dans la conviction que le changement est impossible, qu'il est un infirme au plan de l'affectivité et de la création. Cela entraîne la croyance que la vie offre toutes les possibilités au départ et que d'avancer en âge ne peut que rendre plus immuable ce que nous sommes. Cette espèce de fermeture par rapport à l'avenir mine toute espérance et réduit nettement notre pouvoir d'improvisation. Ce ne sont pas les choses qui se répètent mais bien plus notre manière d'éprouver le monde.

---

1. Gilles Vigneault, *Silences,* Nouvelles Editions de l'Arc, Montréal, 1978.

Celui qui se sent frustré, vide, insuffisant, se refuse non seulement l'expérience de l'intériorité et de l'expression mais aussi celle de l'émerveillement. Celui qui vit l'émerveillement attend quelque chose de la vie. Il la conçoit comme inépuisable et profondément inconnaissable. Alors l'idée qu'il se fait des choses est à refaire au fur et à mesure de ses découvertes. L'émerveillement suppose de la part de l'individu une sorte d'attente. Il est en état de recevoir, disponible, ouvert. Il suppose aussi le postulat que l'existence est riche, complexe, mystérieuse.

Il y a un principe en analyse phénoménologique qui est simple mais révélateur :

Si tout perçu ne se donne que par perspectives, c'est qu'il appartient à l'essence de ce perçu d'être inépuisable, de ne pouvoir jamais faire l'objet d'une exploration exhaustive, de ne jamais offrir simultanément l'ensemble des possibilités.

La connaissance restera donc toujours une entreprise ouverte pour la personne qui sait s'émerveiller.

L'émerveillement s'accompagne d'une certaine naïveté, naïveté seconde toutefois, celle de savoir que la connaissance acquise n'est rien en comparaison de ce qui reste à connaître. Cette croyance est contraire à l'attitude de l'expert qui se sent menacé de découvrir parce qu'il mise sur la certitude du capital accumulé.

L'actualisation de soi ne s'accomplit pas seulement au plan de l'affectivité. L'intelligence se réalise, elle aussi, par des rapports d'émerveillement avec la réalité. L'intelligence qui se réalise devient pensée contemplative, pensée jouissante du réel, pensée qui aime, qui est en contact intime avec ce qui arrive.

Il y a une certaine manière de connaître qui caractérise l'émerveillement. La raison d'être de la pensée n'est pas de connaître abstraitement les choses et les êtres. Le pouvoir que nous avons de définir et de généraliser sert notre besoin de communiquer avec les autres et se révèle en quelque sorte l'extension sociale d'une connaissance première plus immédiate. Certaines personnes croient sincèrement que la connaissance du réel est un discours sur le réel, et ce qui est pire encore, elles se comportent comme si la connaissance ainsi entendue était le but ultime de l'existence. Elles ne se taisent donc jamais. Elles éprouvent une difficulté radicale à rencontrer le particulier. Chaque événement, chaque chose vaut bien peu par rapport à la considération abstraite qu'elles peuvent en faire. Elles assimilent ce qui se passe à du déjà connu, à des catégories qui tiennent lieu de réalité. Ce qu'elles rencontrent concrètement n'est là que pour rappeler ce qu'elles savent.

Comment parler de cet état d'émerveillement qui fait découvrir ce qui est concret comme étant la raison d'être de la connaissance ? Autrement, nous sommes condamnés à communiquer ce qui est communiqué, à écrire sur ce qui a été écrit, à enseigner ce qui a été enseigné. Comment comprendre qu'il y a une connaissance première à laquelle subordonner notre besoin de faire connaître ?

Peut-être ce témoignage est-il éclairant ou du moins indicatif :

145

« J'observais les femmes qui arrivaient au métro Henri-Bourrassa pendant que j'attendais Laurent. Tous ces visages qui passaient me rendaient absurde l'idée d'aimer les femmes ou la femme. Cela me faisait sentir pauvre et illusoire la recherche des possibles. Cela faisait surgir très fortement la conviction que j'étais chanceux, que j'aimais Sylvie. »

Sans doute veut-il dire qu'en tant qu'elle existe concrètement, Sylvie vaut infiniment plus que la femme qu'il se représente dans l'abstrait en voyant toutes ces femmes passer. Sans doute veut-il signifier aussi qu'il abandonne d'une façon mieux sentie et plus définitive la recherche de ce qui n'est qu'une image. Il s'opère chez lui une inversion d'importance entre le réel et sa représentation.

Il nous importe de comprendre cette inversion. C'est elle qui va nous introduire dans l'état d'émerveillement qui nous intéresse. Imaginons un physicien qui s'est interrogé toute sa vie sur le phénomène des extra-terrestres et supposons pour un instant que ceux-ci existent et qu'il soit mis en présence de l'un d'eux. Que se passe-t-il alors pour lui ? Est-il déçu de cet être qu'il rencontre parce qu'il n'est rien en comparaison de l'extra-terrestre qu'il s'était représenté ? Certes non. Il est émerveillé de l'être qu'il voit et qu'il touche parce qu'il est le réel pour de vrai, parce qu'il est une donnée absolue, parce qu'il est la seule réponse à prendre ou à laisser parmi l'infinité des possibles.

La valeur d'émerveillement vient du fait que cet être vaut dans sa réalité plus que toutes les hypothèses réunies. La valeur d'émerveillement provient du caractère décisif de ce fait par rapport à ce qui pourrait être concevable. Supposons encore que le physicien rencontre beaucoup de ces êtres et que cela dure plusieurs années, il en viendra à ne plus les voir. Il en viendra à les considérer comme allant de soi dans la mesure où il aura oublié tous les possibles qu'il entretenait autrefois. C'est proprement cela, s'émerveiller : considérer le réel comme n'allant pas de soi. Ainsi, Sylvie est apparue soudainement comme un réel n'allant pas de soi, comme une réponse unique surgie de ces visages de femmes : c'est elle qu'il aime et de qui il est aimé.

L'émerveillement peut se décrire comme étant essentiellement un état renouvelé d'inconnaissance. Il ne s'agit pas d'ignorer mais plutôt de retrouver un état second de non-savoir qui suspend la prévision et la remplace par une sorte d'attente qui n'attend pas, car « indépendamment de ce qui arrive, n'arrive pas, c'est l'attente qui est magnifique[1] ».

Se peut-il que l'attente soit magnifique ? Cela ne rend-il pas impatient ? N'y a-t-il pas tant de choses à prendre qu'on ne saurait retenir plus longtemps le geste de saisir ? Celui qui se sent bien dans le silence est bien capable aussi de l'être dans l'attente. Cela exprime une attitude profondément hédoniste. Louis Pauwels[2] a écrit un chapitre vraiment beau sur cette attente qui n'attend pas :

« La vieillesse a ses immenses chefs-d'œuvre : une heure retenue goutte à goutte, une journée entiè-

---

1. André Breton, *l'Amour fou*, p. 39.
2. *Ce que je crois*, La Presse/Grasset, Montréal, 1974, p. 201-208.

rement saisie, tout un automne vu avec plénitude. La belle vieillesse est la créatrice supérieure : elle crée de la durée. »

Dans cette attente, être suffit et quand être suffit disparaissent les urgences et les priorités. Les choses ne valent plus pour l'utilité qu'elles ont, pour les buts qui sont poursuivis. Ce qui est est reçu pour lui-même et vaut absolument. Cette attente est proprement méditation et n'attend pas la vieillesse pour s'accomplir.

Celui qui sait méditer connaît l'intimité des choses. Il les connaît de l'intérieur. Il devient l'arbre, la lampe, le chat, le soleil. Il mesure la distance qui le sépare du nuage au-dessus de lui. Il devient cet oiseau étourdi qui fait des manœuvres folles. Il est ce cristal qui retient de la lumière dans ses bulles. Il devient pour un instant ces reflets en lamelles transparentes qui bondissent sur l'eau.

L'émerveillement tient en bonne partie au pouvoir que nous avons de nous identifier à ce qui est autour de nous. Nous sommes capables d'animer les choses et de les humaniser en un sens. Cette identification nous sort de notre point de vue. Elle nous oblige à une certaine décentration. L'individu qui s'y adonne n'agit plus pour un moment à partir de ses références quotidiennes. Il se met en état d'inconnaissance.

Le rêve de la nuit et la rêverie du jour sont aussi des fonctions d'inconnaissance. N'ont-ils pas pour rôle de défaire les constructions mentales et de rendre à nouveau le pouvoir d'émerveillement ?

« Je découvrais, raconte un rêveur, l'antre d'un sorcier, d'un alchimiste ou plutôt d'un vieil ermite. J'y trouvais des grands livres illustrés avec des images imprécises mais envoûtantes, mystérieusement érotiques. Je fais souvent des rêves dans lesquels des livres sont ouverts. Récemment, une grande feuille en bleu et rose, des formes rondes, voluptueuses, avec des contenus pleins, évocateurs, en mouvement. Ces rêves me disent que l'inconscient est d'une beauté magnifique et que les images qui arrivent viennent d'un monde heureux. »

L'état d'inconnaissance a quelque chose à voir aussi avec la beauté. Ce qui est beau pour soi a la propriété d'être reçu sans travail d'assimilation, sans la nécessité d'être compris ou interprété. Ce qui est beau ne demande aucun changement et peut être pris comme tel. Cela a pour effet de mettre la fonction critique au repos et de vivre une sorte de non-résistance. Alors la pensée cesse d'être besogneuse et devient tout simplement descriptive, impressionniste. Ainsi ces divers extraits d'un journal :

« Du pont Jacques-Cartier, j'ai vu la Ronde tout illuminée. Cela donnait d'en haut le spectacle féerique d'une machine à boules qui s'allumait de partout. Ces sensations m'arrivent comme des instantanés, comme des photos qui se développent sur-le-champ. Chaque fois, cela procure le sentiment de quelque chose d'inattendu que je connais depuis toujours. »

« Je laisse maintenant les impressions se faire. En fin d'après-midi, j'ai vécu une douce sensation de chaleur aussi diffuse que la clarté jaune et un peu mauve du soleil couchant. Cette lueur donnait au paysage une teinte de vitrail : le silence chaud et recueilli d'une journée d'été qui triomphe. »

Ces descriptions expriment en effet un émerveillement qui est tout près d'être poétique.

« Cette scène m'a fasciné (en parlant d'un film). Deux femmes font l'expérience de prendre en charge une petite ferme abandonnée. Elles entreprennent la tâche avec enthousiasme et, à travers ces espoirs, elles font leur amitié. Elles vont à la rivière et, au cours de la baignade, elles accomplissent une sorte de rituel tendre et plein de sensualité. Eau pure qui apaise des corps fatigués de durs labeurs, journée harassante qui coule dans l'abandon voluptueux d'une rivière cristalline et parfumée : quel délice, cette intimité en plein jour ! C'est cela que je trouve touchant, que l'intimité, au lieu de se tapir dans un lieu étroit, s'étende à largeur d'horizon. »

Le merveilleux quotidien est une pratique de la poésie. Il est une manière de vivre poétiquement, bien avant tout poème.

« C'était la clôture du festival d'été de Québec, hier soir. Juste en plein feu d'artifice, il s'est mis à pleuvoir. Les gens s'abritaient sous leurs couvertures de laine. Les lumières fusaient, multicolores à travers la pluie. Un grand coup de tonnerre s'est produit en même temps qu'une pièce pyrotechnique tentait de l'imiter. Spectacle étrange que cet

éclatement de magnésium dans l'averse de nuit.
Le fait remarquable, c'est que les gens, au lieu de
maugréer, comme cela se produit souvent, res-
taient sous la douche avec des éclats de rire et des
airs de défier la situation. Cela faisait fête. Les
pieds dans le ruisseau de rue, les gouttières qui
dégorgent avec malice, les pantalons mouillés qui
battent la mesure des pas, les visages qui grima-
cent dans l'insistance de l'orage. Moment d'accal-
mie. Des jeunes exécutent sur le pavé un numéro
de danse à claquettes. L'eau qui jaillit, chansons
de parfait music-hall, clameurs amusées, on
aurait dit que du champagne éclaboussait la
ville. »

L'homme a besoin du merveilleux comme il a
besoin de science. Bachelard disait qu'il faut penser
le concept et rêver l'image. Les deux se complètent
comme les hémisphères du cerveau. L'imaginaire
n'est pas, contrairement à ce qu'en dit le sens
commun, une imagerie qui serait la reproduction
interne du monde extérieur. L'imagination se situe à
l'opposé de la perception. Alors que cette dernière
tend vers la saisie la plus prégnante et la mieux
définie possible, la fonction imaginante désinforme
et désamorce l'impérieuse imposition des faits.
L'une tente de fermer et l'autre d'ouvrir. Cela
produit le dynamisme du jamais définitif et de la
constante possibilité de refaire.

« Si l'on considérait mieux cette frange mobile
des images autour de la réalité et, corrélative-
ment, ce dépassement d'être qu'implique l'activité imaginante, on comprendrait que le psy-

chisme humain se spécifie comme une force d'entraînement. La simple existence est alors comme en retrait, elle n'est qu'une inertie, qu'une lourdeur, qu'un résidu du passé et la fonction positive de l'imagination revient à dissiper cette somme d'habitudes inertes, à réveiller cette masse lourde, à ouvrir l'être pour de nouvelles nourritures [1]. »

C'est donc la fonction imaginante qui poétise le réel. Ce fait banal d'un feu d'artifice manqué perd sa consistance sous l'effet des surimpressions. La perception du fait n'est plus nette. A ce réalisme des données, se substitue la subjectivité transformante des images intérieures. L'individu ne s'enferme pas dans l'information qui devrait le former à une réaction définie. Il se libère de cette détermination par « la frange mobile des images autour de la réalité ».

Peut-on comprendre que le merveilleux n'est pas un exercice de style, pas plus qu'une forme luxueuse d'existence ? Il est l'état renouvelé d'inconnaissance par lequel la connaissance peut être renouvelée. L'émerveillement pose la question des impressions premières. Peut-on vivre d'une vie qui serait première, autrement qu'en l'inconnaissant d'une manière active ? Cette inconnaissance active n'est elle pas la poésie elle-même, qui déréalise le quoti dien pour nous rendre un présent intact affranchi du connu ? Si le secret de l'art de vivre est un présent renouvelé, l'homme a un destin poétique.

---

1. Gaston Bachelard, *la Terre et les rêveries de la volonté*, José Corti, 1948, p. 25.

La poésie, au-delà de sa forme littéraire, s'avère une attitude subversive propre à renverser la solidité logique des catégories et des thématisations. Elle s'accorde mal avec le langage spécialisé précisément parce qu'elle a pour fonction de repousser les encadrements trop disciplinés. Ce sont ses mises en relation et ses envies d'in-discipline qui empêchent les perceptions de se fixer et de se répéter. Elle rend à l'individu l'état originaire d'inconnaissance. Plus précisément encore, le sens poétique favorise l'expérience des impressions premières. Il s'inspire de trois sources primitives que nous allons tenter d'approfondir : l'enfance, l'amour, la nature.

L'enfance. Elle est par excellence le lieu des impressions premières. Elle conduit tout droit à la maison, au village, au quartier qui furent en quelque sorte le premier monde. La restitution du détail que rend notre mémoire attentive n'est là que pour entretenir une impression qui cherche son commencement et tout à coup une odeur, une manière particulière de respirer, une certaine clarté, une chanson, un geste maladroit, une intonation de la voix nous allègent d'un millier d'événements : nous avons retrouvé un état originaire. Cela produit un effet de réconciliation, une sorte de reconnaissance viscérale de ce que nous sommes. Ce qui est singulier aussi, c'est que cette sensation existe en elle-même, en dehors des faits réels qui ont pu se produire. Nous pouvons inventer une enfance sans rapport avec notre chronologie propre. Comment dire que l'enfance est une invention d'adulte qui prétexte un repère concret pour fabriquer des rêveries d'aventure ou de repos et pour installer des bien-être fugaces dans une certaine permanence ?

153

Un après-midi du plus bel été
de mon enfance
mon chat étendu sur le perron
digérait ses excès de table.

Le bleu au-dessus de la maison
et par-dessus les arbres
me disait que rien n'allait bouger.

Les murmures assoupis et les battements feutrés
que faisaient les moineaux
donnaient à nos deux peupliers
des airs de dortoir.

Comme je montais à ma chambre
l'horloge se mit à sonner.
Si le temps est si long
c'est que l'horloge est grand-père...

Je m'allongeai sur le lit et là je vis
que la toile de ma fenêtre
baissée en plein midi
répandait une lumière
d'un rose tendre à ravir.

Je me laissai baigner dans cette intimité
en pensant comment petit
dans le ventre de ma mère
la peau autour de moi
quand elle était au soleil d'été
devait avoir cette sorte de clarté.

Qu'elle avait bonne haleine cette fenêtre
avec ses rumeurs de lilas.
Que son souffle était cajoleur
en chuchotant que j'allais dormir.

Je baissai les paupières.
Elles me firent elles aussi une toile
d'un rose exactement celui
d'avant que je sois né
quand elle s'en fut s'allonger
au soleil d'été.

Cette prose rêveuse veut juste rendre un certain climat qui n'a rien à voir avec ce qui s'est passé, sauf que ces impressions se sont produites et qu'elles renaissent avec la fiction. Ce qui est vrai aussi, c'est qu'une impression actuelle s'accentue quand on lui fait prendre le chemin de l'enfance. Journal :

J'entendais tomber la pluie
aux petites heures ce matin.
Cela m'a rappelé quelque chose de mon enfance.

J'aime plus la pluie de campagne
que la pluie de ville
plus la pluie d'été que d'automne.

Si vous saviez ce que c'est qu'une bonne pluie
aux petites heures du matin
quand on est couché à moitié endormi
dans un lit de plumes.

Quand j'allais chez mon oncle Léon
j'avais ma chambre en haut
et j'entendais la pluie
tomber sur le toit de tôle.

Le ciel me tapotait la tête
à l'abri du vent
sans risque d'être mouillé
les yeux fermés

155

je me laissais pleuvoir
en dedans.

La pluie toute sonore
coulait en moi
me traversait le corps
et me faisait des frissons
le long du dos.
Cela me chatouillait l'âme.

Je n'ai pas eu le temps hier d'écrire sur
la sensation de pluie qui fait vibrer la
maison entière et qui me fait
sentir comme dans le creux d'un violon.

J'aurais voulu parler du tonneau d'eau
gourmand et ventru qui prend l'eau
à gros bouillons. La gouttière est là le long
du mur suspendue à la corniche comme une
louche au-dessus de la soupière.

La toile en question, c'était à l'époque ce qu'il y avait de plus pauvre pour habiller une fenêtre. Quant au toit de tôle, il couvrait une maison bien ordinaire. Les faits, à l'état brut, en toute objectivité, disent que cette enfance n'avait rien d'enviable et pourtant le merveilleux est ici juste à côté de l'événement banal. Cela dit bien que l'imagination empêche l'individu de s'enfermer dans une idée toute faite, même celle d'une enfance vécue et qu'il y a « cette frange mobile des images autour de la réalité ».

L'amour. On ne peut comprendre le merveilleux sans l'expérience d'être amoureux et de préférence amoureux fou. La femme aimée de l'homme et l'homme aimé de la femme n'ont pas dans l'émoi du désir un passé bien défini. L'un et l'autre s'étonnent d'être transportés soudainement dans une sorte d'étrangeté qui fait échec à la croyance que l'autre est familier. Comment se fait-il que l'autre anéantisse, on ne sait à quel signe, tout le connu de lui ou d'elle ? On dirait que la familiarité est faite pour être déjouée et, chaque fois que la relation amoureuse s'accomplit, elle se donne l'illusion d'avoir atteint sa limite de découverte et pourtant le désir resurgira encore dans l'ordre de l'étonnement.

la beauté vit quotidienne
il y a deux seins de chaleur ronde
comme des nuages cueillis par un lac
en plein sur ta poitrine mon amour
et ton ventre est une baie des chaleurs
et ton sexe un courant chaleureux respirant
et tu es pleine de coussins de coussinets
de recoins duveteux de recoins soyeux
de petits coins précieux sans angle
de creux arrondis de profondeurs apprivoisables
le corps jaillit carrément divin [1]

Le désir fait perdre au corps son apparence coutumière et le rend à son épaisseur charnelle. Cela appelle la fusion. Cela appelle un plaisir qui manque et qu'on veut retrouver en sachant qu'il a existé sans véritablement pouvoir le rappeler d'une manière précise et alors ce qui est éprouvé donne la sensation d'un nouveau reconnu.

---

1. Michel Garneau, *les Petits Chevals amoureux*, V.L.B. éditeur, Montréal, 1977.

Ce qui atténue grandement le merveilleux de l'amour, c'est la prétention de connaître l'autre au point de n'espérer au mieux que de revivre des moments du passé qui furent intenses. L'expérience amoureuse peut être pourtant celle d'un émerveillement et cela à plusieurs points de vue.

D'abord il ne saurait être question d'exécuter un connu à l'avance. Les gestes amoureux ne sauraient être rendus prévisibles sans faire disparaître le désir lui-même. Mais l'émerveillement vient surtout de l'émoi mis en branle dans ce qui m'est le plus familier : mon propre corps. Comment se fait-il que l'autre m'atteigne à une profondeur qui ne m'est pas donnée directement et qui m'est possible seulement par ce que l'autre éveille dans mon être ?

« ... De la caresse réciproque naît une expérience de son corps que chaque partenaire ne soupçonnait encore nullement. C'est l'autre qui me révèle mon corps, qui me le fait sentir et connaître en suscitant l'émoi jusqu'à une profondeur inconnue et inexpérimentée. Il est donc une découverte de ma corporéité qui naît de ce qu'autrui éveille en moi-même et qui ne passe que par cette média-tion. L'expérience auto-érotique ne dépasse jamais la surface de son propre corps, elle n'at-teint jamais à cet ébranlement profond que sus-cite autrui[1]. »

Nous sommes loin du bien-faire technique d'une certaine sexologie et pourtant nous voilà à l'essen-tiel de la jouissance amoureuse. Il y a une sorte

---

1. François Chirpaz, *le Corps*, P.U.F., Paris, 1969, p. 78.

d'oubli de mon corps qui est favorisé par le désir que j'ai de l'autre. Libéré de l'hyper-conscience qu'entraîne la préoccupation d'avoir du plaisir, le corps devient vibrant sous l'impulsion d'autrui et ce qui s'éveille inspire une réciprocité harmonieuse d'une justesse toute instinctive.

Ce qui importe ici n'est pas tant de décrire ce que chacun est en mesure d'expérimenter lui-même, mais plutôt de mettre en valeur le caractère d'inconnaissance d'une telle expérience. Ils sont là tous les deux à participer à une sorte de rituel cosmique d'autant plus poignant et authentique qu'ils sont libérés du connu, du souci de jouir et d'obtenir un résultat attendu. Ils s'en remettent à une loi universelle qui les prend en charge et les fait s'aimer. Ils co-naissent, ils naissent l'un par l'autre, l'instant d'une défaillance, à quelque chose de plus grand qu'eux et qui dépasse largement le caractère reproducteur de la sexualité.

La nature. Elle est sûrement propre à favoriser le merveilleux quotidien. Le renouveau qu'elle nous fait vivre s'avère d'un type particulier. Nous allons au bois, à la rivière, à la montagne. C'est nous qui allons à la nature. Cette évidence indique un état d'esprit, une attitude que nous adoptons d'emblée sans trop nous en rendre compte. Nous nous disposons à recevoir. Nous sommes prêts à nous laisser impressionner. Nous laissons aisément tomber nos défenses. Nous acceptons volontiers d'être dénudés, sensibles, émus en présence de cette nature qui ne dira rien de nos faiblesses.

Pourquoi le reflet de ce ciel sur ce lac fascine-t-il ? Pourquoi le chant des oiseaux suspend-il ainsi mes pas et me rend-il à ce point en attente ? Pourquoi ces

arbres au-dessus de moi m'imposent-ils le silence ?
Pourquoi ces parfums, ces blés, ces papillons me
donnent-ils un élan de fête ? Rien de tout cela ne
répond à un besoin spécifique de l'organisme. Pourtant, l'homme ne saurait s'en passer et, de toute
éternité, il préférera la vue d'un chêne à celle d'une
antenne de télévision.

Que représente donc la nature pour l'homme ?
L'adversité, certes, lorsqu'il prend les armes et les
outils pour chasser, défricher, cultiver, construire.
Mais que représente-t-elle lorsqu'il la cherche dému-
ni ? La nature n'est-elle pas essentiellement pour
lui ce qui existe bien avant qu'il soit né ? La terre
d'où il vient n'est-elle pas son repos ? L'émoi poétique qui naît de la nature renvoie l'individu à des
appartenances cosmiques. Chaque fois qu'il se rapproche de la nature, il retrouve un état pour ainsi
dire originel, une sorte d'insertion primitive qui
évoque un lointain passé.

Les plantes autour de lui, les minéraux, les ani-
maux reptiles et volants, la mer au souffle profond,
les vents qui ont tant voyagé détiennent le secret de
la durée. Ils sont les témoins muets de notre survie
millénaire.

> Les étoiles font des points de craie
> au tableau noir de l'infini
> comment retrouver les mots effacés
> qui disaient tout de notre existence.

Le retentissement que suscite la nature s'explique
mal à l'échelle de l'individu. Il répond sans doute à
un enregistrement de l'espèce, à une sorte d'inconscient collectif qui détient des réminiscences innom-
mables.

Comment comprendre que nous ne sommes pas si différents de cette nature toujours au bord de se révéler comme familière. Cette sensation ressemble beaucoup à ce qui se passe chez un individu lorsqu'il commande à l'avance un souvenir à se rappeler. Il se dira, par exemple, que dans trois semaines, quand il rencontrera un tel, il faudra bien qu'il lui demande tel renseignement précis, et alors, au jour requis, il est sous le coup d'une impression, quelque chose à faire ou à dire. Une telle prescription peut dormir longtemps et être rappelée au bon moment. Jusqu'où s'étend alors ce pouvoir qui transcende le temps ? Quel message venu de la plus lointaine mémoire apporte donc cette nature qui sollicite, qui ravive et qui émerveille ?

Peut-être le message dit-il que nous sommes ce par quoi la nature se donne une conscience. Il dit que nous sommes le merveilleux. La difficulté pour nous provient du fait, sans doute, que nous voilà à bout portant de l'évidence. Nous n'arrivons pas à prendre la distance nécessaire pour connaître notre propre nature. Les savants ont réussi à concevoir des théories vraiment fantastiques concernant la matière. Le nucléaire relève du merveilleux. Mais lorsqu'il s'agit des sciences humaines, il y a à l'inverse une réduction systématique, sous prétexte d'objectivité, de ce que vaut l'homme.

Le très sympathique philosophe Alan Watts rend bien le merveilleux lorsqu'il écrit, et cela vaut d'être cité longuement :

« Que se passerait-il, si j'avais le pouvoir de rêver ce que je veux chaque nuit ? Je commencerais par assouvir mes désirs les plus évidents : j'invente-

161

rais des palais, je festoierais à des banquets en écoutant des musiciens et en regardant des danseuses, je ferais l'amour comme jamais, il y aurait des jardins lumineux près de lacs surplombés par des montagnes. Viendraient ensuite de longues conversations avec des sages et la contemplation d'œuvres d'art admirables ; j'écouterais et je jouerais de la musique, je voyagerais partout dans le monde, j'irais voler dans l'espace et contempler les galaxies, je plongerais au cœur de l'atome pour voir tourbillonner les électrons. Mais j'en arriverais à vouloir pimenter un peu l'aventure, en rêvant, par exemple, d'une dangereuse escalade en montagne, ou encore que je sauve quelque princesse des griffes d'un dragon, ou mieux : je me jetterais dans un rêve imprévisible, où je ne saurais rien de ce qui va m'arriver. Une fois cela commencé, mon audace pourrait bien ne faire que croître... et à la fin je serais pris d'une telle angoisse que le soulagement du réveil serait plus merveilleux que le plus merveilleux des rêves...

« La leçon de tout cela est qu'une réflexion partant de mes rêves les plus naïfs pour expliquer l'univers, et passant par une tentative d'imaginer aussi nettement que possible la nature de la béatitude éternelle, me fait me trouver en train de vouloir être précisément là où je suis[1] ! »

---

1. Alan Watts, *Etre Dieu*, Denoël-Gonthier, Médiations, Paris, 1977, p. 48-49.

Quel tour de force qu'une réflexion sur la béatitude aboutisse, tout compte fait, à la situation présente! Cela traduit exactement ce qu'est le merveilleux quotidien. C'est un quotidien révisé. C'est un détour par la lune de façon à mieux voir la terre. La seule façon pour un poisson de savoir qu'il est dans l'eau c'est d'en être sorti au moins une fois dans sa vie. Quand une personne connaît la mort de près, son expérience appréhendée du non-être lui rend l'existence merveilleuse, lui fait apprécier le miracle d'exister.

Il n'y a pas mystère plus opaque et plus présent que l'existence. Qu'est-ce donc qu'exister? Le phénomène est tellement global et totalisant que nous n'avons aucun point de vue autre que celui d'existant pour considérer la question. Il y a les sciences occultes, dira-t-on, et l'ésotérisme qui apportent des réponses là-dessus. Il vaut mieux décidément laisser l'existence à son mystère que de l'affubler de ces explications alambiquées.

Cette littérature, loin de rendre le quotidien merveilleux, sert à rassurer d'une manière pseudo-scientifique les gens qui n'arrivent pas à laisser le point de vue rationaliste.

Ce qui redonne à l'existence sa pleine valeur, c'est de réaliser que nous sommes dans l'absolu, et carrément dans l'absolu. Nous existons et puis nous mourons. Ou nous sommes éternellement ou nous ne serons plus jamais. Nous sommes l'être ou bien nous sommes le néant. Nous aurons beau écrire des bibliothèques sur le sujet et multiplier les hypothèses à l'infini, une seule réponse existe et nous ne la connaissons pas.

« Qui vive ? Qui vive ? Est-ce vous, Nadja ? Est-il vrai que l'*au-delà*, tout l'au-delà soit dans cette vie ? Je ne vous entends pas. Qui vive ? Est-ce moi seul ? Est-ce moi-même ? »

André BRETON.

Chapitre 6

ABANDON ET RAVISSEMENT

Je suis. Cela tombe comme un énoncé de poids, comme un absolu en chute libre dans l'univers anonyme d'au moins trois milliards d'individus. « Je suis » exprime l'existence. Il désigne aussi un sujet. Qui est-il ? Que signifie ce « je » ?

Je détiens un sens différent d'un sujet à l'autre parce que chacun est différent certes et aussi parce que chacun, et c'est là l'objet de ce chapitre, s'identifie à un aspect différent de l'existence.

L'extrait qui suit permet d'évaluer concrètement ce qui est en cause.

« Ce qui m'empêche de vivre mon présent parfois, c'est l'exigence d'être en continuité. Je me promène dans un endroit enchanteur mais je ne peux m'abandonner aux plaisirs qu'il offre parce qu'il y a en moi, soit une idée, soit une impression qui persiste, qui s'impose ou plutôt que je crains de ne pas retrouver si je donne mon attention à l'espace où je suis. Pourtant si cela est si important, il devrait pouvoir être rappelé en temps opportun. Assez étrangement donc, je vais préférer un état de souci à une occasion de détente. Que veut dire tout cela ? Il me semble que je ne peux interrompre l'idée ou la préoccupation sans créer un certain vide, une rupture. Croyance diffuse mais forte que je meurs à quelque chose si j'oublie mon inquiétude. Cette pensée, cette ambiance intérieure, en disparaissant, me donnerait la sensation de disparaître moi-même. Cela correspond exactement à un rêve qui m'est arrivé. Une arme juste à la hauteur du front. La menace est mise à exécution. Je meurs et loin d'être un cauchemar, je ressens une joie indescriptible, un flottement, une légèreté qui se répand partout en moi. »

Ce témoignage permet de comprendre pourquoi l'être humain est divisé, inquiet et incapable d'abandon.

Sa peur d'être discontinu et, par conséquent, de ne plus exister provient d'une conception aberrante et rétrécie de son identité. Le « je », au lieu de désigner la totalité de ce qu'est l'individu, désigne des parties seulement et réfère à des éléments passagers de l'existence. Le « je » est toujours en train d'être confondu avec une identification provisoire.

Ainsi quand il pense, au lieu d'être *présent* à sa pensée, il se prend pour elle. Etant devenu sa pensée, il perçoit le reste comme ne faisant pas partie de lui, comme une intrusion, comme une discontinuité.

La même chose pour l'émotion. Elle est un vécu soudain et passager. Elle est par nature l'expérience de la transformation : une modification dans la manière d'être en rapport avec le milieu. Alors au lieu d'être *présent* à son émotion, il devient cette émotion au point qu'il est totalement envahi et incapable de prendre quelque distance vis-à-vis d'elle.

Nous avons vu comment, dans le contexte de la privation, l'individu s'identifie à sa frustration, il n'est qu'elle, il la dramatise, il se fait exigeant, il n'arrive pas à laisser son ressentiment, son désir, son insécurité, sa culpabilité. Son identité est réduite à un manque et à l'effort pour le combler. Les choses changent pour lui quand il cesse d'être ce vide et qu'il devient *présent* à sa peine.

Il est plus que ses idées qui changent, plus que ses émotions, ses sentiments, ses besoins, ses projets, qui passent. Il est beaucoup plus que ses images et ses attributs qui le décrivent, beaucoup plus que les jugements d'autrui à son sujet. Le « je » ne peut être ramené aux biens qu'il possède, au pouvoir qu'il exerce, à la compétence dont il est fier. Le « je » représente beaucoup plus que les exploits accomplis, que les actions réussies. Il est plus que la beauté, que la santé, que tous les processus corporels qui l'animent.

Tous ces aspects sont dans l'ordre du provisoire et du discontinu. On saisit dès lors pourquoi l'être humain vit sur le qui-vive, pourquoi il se sent menacé de n'être rien, pourquoi son existence est subjectivement en cause chaque fois qu'un de ces aspects tend à changer ou à disparaître. Il mobilise des défenses énergiques pour maintenir des identifications partielles qu'il confond avec sa personne. Il met sa vie à résister parce qu'il n'arrive pas à se placer à un point de vue qui assurerait son unité et sa continuité.

Alan Watts, avec son humour habituel, décrit l'effort que fait l'individu pour empêcher que disparaissent les événements fluides que sont ses pensées et ses émotions :

> « C'est comparable à un décollage en avion à réaction. L'appareil s'élance sur la piste, et l'on se dit : " Cela fait trop longtemps que l'on roule, jamais on ne va arriver à décoller ! " — et l'on commence à tirer sur sa ceinture de sécurité pour aider à soulever l'avion, ce qui n'a strictement aucun effet.
>
> « Et pourtant cette sensation permanente de tension est ce à quoi nous nous référons quand nous disons " je " [1]. »

> « ... En comprenant que vous ne pouviez rien y faire, vous avez réalisé que vous n'existez pas. C'est-à-dire " vous " en tant qu'ego n'existez pas, et c'est si évident que vous ne pouvez rien y faire. Vous constatez ainsi que vous ne pouvez pas vraiment contrôler vos pensées, vos sensations, vos émotions, et que tous les processus qui se produisent en vous comme hors de vous vous échappent complètement.
>
> « Mais alors, qu'arrive-t-il ? Eh bien, voilà ce qui arrive : vous observez ce qui se passe. Vous voyez, vous ressentez tout ce qui se produit, et vous constatez soudain, à votre grand étonnement, que

---

1. *l'Envers du néant,* Denoël-Gonthier, Médiations, 1978, p. 30.

vous pouvez parfaitement vous lever, marcher jusqu'à la table, y prendre un verre de lait et boire. Il n'y a rien qui s'oppose à ce comportement. Vous pouvez toujours agir, vous pouvez toujours bouger, vous pouvez toujours fonctionner de façon rationnelle mais vous avez soudain découvert que vous n'étiez pas ce que vous croyiez être[1]. »

Ainsi le pouvoir que prétend avoir l'individu sur lui-même relève d'une pensée magique. Cela vient vraisemblablement d'un milieu qui croit l'enfant responsable de ce qu'il pense, de ce qu'il ressent, de ce qu'il désire. Nous avons tous été dans notre enfance punis pour des processus et pour des émotions qui échappaient à notre contrôle. Nous nous sommes donné collectivement l'illusion de l'ego. Pourtant une certaine maîtrise doit bien exister. Nous ne pouvons être ainsi les témoins passifs de nos impulsions. C'est une question à reprendre plus loin. Retenons pour l'instant que le moi dispose d'un pouvoir passablement mythique.

D'où viennent les pensées ? Il les commande. Il les demande. Celles qui surgissent pourtant ne sont pas de sa volonté. Et les sentiments, et les émotions, et les sensations, peut-il vraiment se les créer ? Il peut ouvrir ou fermer les yeux mais il ne peut rien sur le contenu du paysage. L'individu désigne par le « je » un pouvoir de fabrication qu'il n'a pas.

Le moi se donne un rôle surfait. Il se croit indispensable à la création comme si les rapproche-

---

1. Alan Watts, *op. cit.*, p. 32.

ments à faire, les circuits à parcourir étaient de sa juridiction. Il prétend savoir mieux que l'instinct comment aimer, danser, chanter. Il veut tout mener et tout réduire à une affaire de technique. C'est un patron qui ne fait pas confiance à ses employés et qui remplace finalement son personnel par des machines.

Pourquoi se donner tant de mal à contrôler, alors que des processus naturels savent si bien faire ? C'est que précisément l'individu ne sait pas qui il est quand il se nomme. Il croit être ou devoir être chacune de ces fonctions. En s'identifiant ainsi à divers aspects partiels de son existence, le « je » multiplie les contrôles et se donne une tâche monstrueuse. Il constate non sans réticence toutefois qu'il est inefficace dans ses prétentions à se contrôler et à contrôler les autres pour satisfaire ses visées.

On dirait que le propre du développement personnel consiste à réaliser comment bien des contrôles peuvent être abandonnés et mieux assumés encore par des ressources déjà constituées. Nous avons vu comment, sous l'effet de la privation, l'être humain refuse de considérer ses ressources affectives, ses ressources créatrices et spirituelles. Il ne sait pas qu'il est riche de cette surabondance intérieure. Il n'a pas fait l'hypothèse encore de l'arc-en-soi. Il est tout ratatiné dans ce « je » velléitaire menacé de disparaître avec les identifications insoutenables auxquelles il se raccroche.

D'autant il délaisse ces formes d'identification qui sont au fond des réductions et des interprétations étroites de ce qu'est l'humain et de ce qu'il est, d'autant justement il peut jouir de ses impressions, de ses rêveries, de ses représentations mentales, de ses intuitions, de ses élans et désirs sans se sentir menacé de disparaître avec chacun d'eux. Il survit à l'éphémère. Et cette assurance d'exister par-delà et au-dessus de tout cela lui fait recevoir l'expérience avec un ressenti plus profond et surtout, lui fait accepter la mouvance de son vécu. Il est d'autant plus heureux et comblé qu'il n'a aucun effort à faire pour vivre tout cela, cela se faisant de soi. Extrait de journal :

« Quelle sensation! quel abandon! le turquoise m'apparaissait plus transparent et lumineux. L'eau avait aussi sa sonorité. J'entendais le clapotis qu'elle faisait autour de mes bras et de ma tête. Je respirais à l'aise dans une parfaite sécurité. Les inspirations étaient amples et les expirations bienfaisantes. Mon corps s'étirait. Je bâillais pour ainsi dire par tout mon corps. Les mouvements se faisaient ronds et ininterrompus. Jamais je n'éprouvais le besoin de m'arrêter pour reprendre mon souffle. Le rythme était parfait. Il me soutenait. Il m'est arrivé d'avoir de l'eau dans le nez. Au lieu de m'en inquiéter et de m'étouffer, l'eau a librement coulé dans ma gorge et je n'ai eu qu'à la rejeter.

« J'ai eu, pendant cette baignade, la connaissance réelle de ce qu'est l'abandon. L'abandon que j'ai vécu s'accompagnait de la conviction profonde et non pas raisonnée que je savais tout ce qu'il fallait faire à la seconde près et que je n'avais pas à me préoccuper de décider quoi que ce soit délibérément. Au mieux, je n'avais qu'à être la *présence* qui jouit de cette aisance, de ces ébats faciles, de ces mouvements harmonieux et légers, de ce support doux, frais, intime de l'eau autour de moi.

« Il m'était impossible d'être en danger. Je n'avais pas à survivre. Je n'avais pas à décider quoi faire ; ce que je faisais correspondait exactement à mon plaisir et à ma sécurité.

« J'avais tout ce qu'il fallait pour vivre dans cette eau. Je n'étais pas essoufflé. Au contraire, j'étais ravi, abandonné, triomphant et surtout comme fêté, célébré par cette eau.

« J'étais pour ainsi dire nagé. Je n'étais que *présence* heureuse, abandon ravi. »

Moment merveilleux, unique, privilégié qui ne fait pas une vie mais qui donne la direction. Le « je » est essentiellement une présence, une présence au monde. Voilà sa véritable identité. Quand il se perçoit comme présence, il retrouve sa totalité. Il n'est plus fragmenté et mis en pièces. *Il est une présence continue à ce qui est discontinu.*

Il arrive que cette présence soit heureuse. Cela se produit quand sa relation au monde est transparente et directe comme dans le cas d'une expression parfaitement spontanée, d'un moment de ravissement et d'abandon où le corps devient « léger » et allégé de ses tensions et de ses résistances. Alors cette présence irradie en une sorte de joie qui transporte.

Dans ces moments de pure présence l'individu n'agit pas, il est agi. L'action parfaite est passion. L'action parfaite est agie et non dirigée. Elle est portée par le désir et par la sagesse du corps. La joie de vivre est celle d'être agi n'étant que présence heureuse et abandon ravi à l'action qui se fait dans la pleine confiance.

Le ravissement nous met sur le pilotage automatique. On a tout le temps d'admirer le paysage et de jouir du vol en cours. Cela résout l'éternel problème de s'arrêter pour se voir en mouvement, d'agir en observant l'action. Il n'y a plus deux temps, l'un pour l'expérience immédiate et un autre qui serait une réflexion de retour pour comprendre ce qui s'est passé. Le vécu et sa compréhension coïncident et sont donnés simultanément, un peu comme un rêve dont le sens est donné au rêveur dans le rêve lui-même au moment de rêver.

Un animal peut sans doute être ravi mais ce qui, à proprement parler, fait la joie chez l'homme, c'est la conscience qu'il a de son ravissement. Il a l'ultime pouvoir et privilège d'être présent, non seulement au monde mais d'être présent à soi, une sorte de présence à la présence.

Le « je » qui est présence ne serait-il qu'un témoin passif ? Nous n'aurions finalement aucun contrôle sur nous-mêmes. Nous serions en quelque sorte vécus. Est-ce bien cela ? Extrait de journal :

« Je ne savais plus jouer. J'ai passé toute la première partie à m'ajuster. Et puis j'ai compris. J'ai cessé de m'occuper de mon lancer et de mon bras. Je me suis concentré sur la quille centrale. Je ne la quittais plus des yeux. Cette concentration me permettait de lâcher la boule juste à la bonne fraction de seconde.

« Cela demande beaucoup d'abandon. Il me faut être confiant que le bras va saisir le message. Il n'est plus un instrument que j'utilise. Il fait partie de mon regard. C'est cela qui m'impressionne : que sans un contrôle exprès sur mon bras et sur ma main, le lancer puisse être l'expression parfaitement obéissante et harmonieuse de ma concentration. »

Ainsi abandon et contrôle sont conciliables. Le « je » est une présence désirante qui n'a pas à chercher ses moyens mais qui doit décider si la direction est bonne et quand le feu vert est donné, il s'en remet au pilotage automatique. L'abandon est précisément la mobilisation totale de l'individu à ce qui est clairement perçu comme sa fin. Qu'il réalise qu'il se trompe, qu'il refuse de poursuivre, c'est sa liberté. Il est un oui qui peut toujours dire non. Il est une présence « désirante » qui autorise l'abandon et qui peut à n'importe quel moment de sa conscience passer en manuel.

Le développement d'une personne va sûrement dans le sens d'une identité agrandie intégrant des parties de soi jusqu'à pouvoir se vivre comme une présence « désirante ».

Le développement personnel consiste sans doute à faire l'apprentissage de l'abandon et à se disposer à la joie. Cela n'est pas donné d'emblée. Il faut y croire d'abord et pour cela percevoir le caractère mythique de la privation, le caractère absurde de l'effort. Et puis il y a le risque d'essayer d'être son propre père et sa propre mère, le risque de s'étonner de soi et d'éprouver autrement la réalité.

Il y a au centre de chacun une présence qui demande à être au monde. Elle n'arrive pas toujours à faire surface mais elle est. En plein milieu de l'angoisse, dans le profond d'un découragement, dans le lointain de la folie, elle est et demeure, intacte, prête à se manifester quand sera possible l'expérience d'une certaine ouverture. La vie nous demande au fond de ne pas résister à ce que nous sommes, car ce que nous sommes est plus grand que nous ne le pensons. Nous n'en finissons pas de grandir. Ce que nous sommes est sans doute immense. Il nous manque seulement la perspective. L'arc-en-soi est à prendre au sérieux.

TABLE DES MATIÈRES

Achevé   Imprimerie
d'imprimer Gagné Ltée
au Canada Louiseville